죽은 겨자씨 한 알

- 한국 자본주의의 주체적 조건 발전론 -

Eckert의 일제 식민지 기여론,

이영훈의 반일 종족주의론,

근대화론, 종속론, 사회주의를 비판하며.

도둑이 오는 것은 도둑질하고 죽이고

멸망시키려는 것뿐이요 내가 온 것은 양으로

생명을 얻게 하고 더 풍성히 얻게 하려는 것이라

나는 선한 목자라 선한 목자는 양들을 위하여

목숨을 버리거니와(요한복음 10:10)

죽은 겨자씨 한알

- 한국 자본주의의 주체적 조건 발전론-

발 행 | 2021년 02월 15일
저 자 | 김광종
펴낸이 | 김광종
펴낸곳 | 나라와 義
편 집 | 아이알 커뮤니케이션즈
출판사등록 | 1996.01.16.(제321-1996-81호)
전 화 | 02-2282-0291
이메일 | irparty@hanmail.com
나라와 義 계좌 | 하나은행 188-910551-25907

ISBN | 978-89-961429-0-4

www.irshow.com

죽은 겨자씨 한 알

- 한국 자본주의의 주체적 조건 발전론 -

김광종 지음

공평과 정의가 없는 국가는 패망하며, 일제 36년도 이에서 연유하였고, 향후 동북아 질서도 공평과 정의가 더 충만한 국가가 주도권을 잡아갈 것이다.

한국 자본주의의 기원 및 발전 문제를 규명하는 데 있어, 미국 하버드대 한국학연구소장 Eckert가 논의하는 바, 한국 자본주의는 일제 강점기에 일제의 도움과 친일적 기업인, 친일적 관료들 때문에 발전하게 되었다는 세계적 정설을 비판하고, 한국 자본주의는 근대 국민 국가로 성장하는 과정 속에서 죽은 겨자씨 한 알들의 희생으로 가능케 되었으며, 그 왜곡은 부패한 기업인, 관료들 그리고 이를 방조한 세력들 때문임을 보여준다.

제목 해설

마태복음 13장 31-32절 : 또 비유를 베풀어 가라사대 천국은 마치 사람이 자기 밭에 갖다 심은 **겨자씨 한 알** 같으니 이는 모든 씨보다 작은 것이로되 자란 후에는 나물보다 커서 나무가 되매 공중의 새들이 와서 그 가지에 깃들이느니라

요한복음 12장 24절: 내가 진실로 진실로 너희에게 이르노니 한 알의 밀이 땅에 떨어져 죽지 아니하면 한 알 그대로 있고 **죽으면** 많은 열매를 맺느니라

이사야서 6장 13절: 그중에 십 분의 일이 오히려 남아 있을지라도 이것도 황폐한 바 될 것이나 밤나무, 상수리나무가 베임을 당하여도 그 그루터기는 남아 있는 것같이 **거룩한 씨**가 이 땅의 그루터기니라

* 위에서 중고딕체 처리된 단어들을 조합하여 **'죽은 겨자씨 한 알'** 이라는 구절 형성.

그리고 마키아벨리의 Virtu를 '주체'로 번역.

* 한편 Eckert씨는 현재 미국 하버드대 한국학 연구소장으로 재직 중이다.(1996년 당시)

목 차

'여호와여 주의 노로 나를 책하지 마시고 분노로 나를 징계치 마소서. 주의 살이 나를 찌르고 주의 손이 나를 심히 누르시나이다. 주의 진노로 인하여 내 살에 성한 곳이 없사오며 나의 죄로 인하여 내 뼈에 평안함이 없나이다. 내 상처가 썩어 악취가 나오니 나의 우매한 연고로소이다. 내가 아프고 심히 구부러졌으며 종일토록 슬픈 중에 다니나이다.

여호와여 내가 주를 바랐사오니 내 주 하나님이 내게 응답하시리이다. 내가 말하기를 두렵건대 저희가 내게 대하여 기뻐하며 내가 실족할 때에 나를 향하여 망자존대 할까 하였나이다. 내가 넘어지게 되었고 나의 근심이 항상 내 앞에 있사오니 내 죄악을 고하고 내 죄를 슬퍼함이니이다. 내 원수가 활발하며 강하고 무리하게 나를 미워하는 자가 무수하오며 또 악으로 선을 갚는 자들이 내가 선을 좇는 연고로 나를 대적하나이다. 여호와여 나를 버리지 마소서 나의 하나님이여 나를 멀리하지 마소서. 속히 나를 도우소서 주 나의 구원이시여.' (시편 38편)

(개정판) 서 문

1994년도에 이 책을 쓴 지 30여 년이 다 되어 간다. 대한민국의 위상도 더욱 발전하였고, 한국 자본주의도 더욱 발전하였다. 그러나 여전히 빈부 격차의 문제는 크고, 기업들이 만들어내는 문제도 크다. 대기업 총수 들 중에 구속을 면한 이가 드물다.

그간 장단주기 분배론, 민주제적인 질서 속에서 그리스도 통치론, 대한민국 부동산 영구 평화론 등을 저술했고, 6번의 선거에 참여했다. 정당도 만들어가고 있다. 아리랑당 창추위다. 한 국가는 주변 국가와 깊은 연관을 가지고 있고, 반일 종족주의로 대표되는 이론들이 여전히 문제되고 있는 상황에서 위안부 할머니들은 생존자가 더욱더 줄어 들지만 그 한은 풀리지 않고 있다.

이 책을 쓰면서 약속했던, 다른 책들을 써서 상호 보완하도록 했다. 대한민국이 세계에 모범이 되는 공평하고 정의로운 국가가 되는 길에 이 책들이 도움이 되었으면 한다.

그사이에 중국은 더 괄목할 만한 성장을 했고, 동아시아 3국은 이제 세계 경제에서 더 큰 역할을 담당하고 있다.

등소평이 선문집 3권에서 밝힌 理想을 실천하면서 중국은 발전해가고 있고, 미국을 추월할 것이라는 전망도 나오고 있다.

이 책 '죽은 겨자씨 한 알' -한국 자본주의의 주체적 조건 발전론-의 이론이 맞았다는 것을 지난 30여 년간의 동아시아 역사가 증명한다.

이제 남미 등 저개발 국가들도 그 내부의 부패를 제거하고 공평하고 정의로운 질서를 만들어낼 수 있다면 세계적인 선진국이 될 수 있다는 것을 알 수 있다. 주체적 조건발전론에 근거한다. 이 책과 나의 다른 책들이 그러한 제3세계 나라들의 발전에 더욱 기여할 수 있길 바란다.

"도둑이 오는 것은 도둑질하고 죽이고 멸망시키려는 것뿐이요, 내가 온 것은 양으로 생명을 얻게 하고 더 풍성히 얻게 하려는 것이라 나는 선한 목자라 선한 목자는 양들을 위하여 목숨을 버리거니와"라는 요한복음 10장 10-11절 말씀은 한국 자본주의 기원에 일제 강점기가 아무런 도움도 되지 못하고 오히려 해악만 끼쳤음을 간단명료하게 드러내는 말씀이다.

세계화가 더욱 진행되고, 코로나로 언택이 강화되면서 일부 기업들과 국가들로 더욱더 부의 집중이 엄청난 속도로 이뤄지고 있다. 이를 해결하고 온 인류가 이 지구 위에서 공존하는 길을 찾지 못한다면, 1,2차 세계대전보다 더한 재앙이 이 땅에 올 것이다.

서구자본주의는 방탕과 술취함과 생활의 염려로 마음이 둔하여지지 않고 정의를 추구해가야 한다.

"천지는 없어지겠으나 내 말은 없어지지 아니하리라. 너희는 스스로 조심하라 그렇지 않으면 방탕함과 술취함과 생활의 염려로 마음이 둔하여지고 뜻밖에 그 날이 덫과 같이 너희에게 임하리라"(누가복음34-35)

2021년 3월 1일 아침에 쓰는 글

1938년 9월 9일에 시작된 조선 예수교 장로회는 신사참배를 결의한다. 그리고 그 후예들이 지금의 대한민국의 교권을 장악하고 있다.

이보다 앞서 감리교, 그리고 카톨릭이 신사참배를 결의했다.

카톨릭은 아예 성당 안에 가증한 물건을 두고 경배하기까지 했다.

오늘은 3.1절이다. 그때 과감히 신사참배를 했으니 오늘 다시 한국 카톨릭과 개신교는 연합해서 전범기 앞에서 충성을 맹세해 보길 바란다. 그때를 추억하면서. 엘리야와 대적하면서 아합 편에서 바알을 섬기던 선지자들처럼. 지금도 이들의 신은 하나님, 하느님이 아니라, 바알이고, 돈이다.

이들은 군수 물자도 지원했고, 비행기 마련 헌금도 했다.

이들이 1919년에는 3.1절에 일제에 항거했다가 점차 변절되어 갔다. 안중근 의사는 카톨릭 신자이셨다. 그런데 이런 식으로 카톨릭도 변질되었다.

그리고 그 때 이후로 이들은 여전히 한국 사회에서 암적인 역할을 지속하고 있다.

이스라엘이 망해가듯이.

2차대전이 더욱더 치열하게 치달을 때 이들은 전범기를 향해 예를 갖추고, 태양신의 후예라는 일왕을 경배하고, 그들의 조상신 우상 태양신을 섬겼다.

오늘 2021년 3.1일에 한국 카톨릭과 한국 기독교는 다시 그 때를 돌이켜보면서 전범기 앞에서 일본 제국주의의 승리를 기원해보길 바란다.

우리는 오직 하나님, 하느님만을 경외할 것이다.

이스라엘의 가증한 제사장들이 성전 안에 더러운 우상들을 두고 경배한 것과 똑같은 짓을 지금 대한민국 카톨릭과 개신교의 주도권을 가진 자들이 자행했었다.

한경직 목사도 거기에 참여했다고 고백했다. 거의 죽음을 앞두고서야. 모든 부귀 영화 영광을 다 누린 후에.

영락교회, 숭실대학교 등을 세운 그가.

고려대 김성수도 이런 짓을 했고, 하버드대의 카터 에커트는 김성수 일가 행적을 통해, 한국 자본주의가 일제의 도움으로 성공한 것임을 입증하는 논문, OFFSPRING of empire 라는 책을 냈다. 일본 제국주의의 후예들이라는 뜻이다.

한국 카톨릭과 한국 기독교를 현재 좌지우지하는 세력들은 대부분, 이 신사참배에 참여한 자들이거나 그들의 제자들이다. 그래서 한국 교회들의, 성당들의 강단 설교가 이토록 썩어빠진 것이다.

하나님, 하느님을 두려워하지 않는 자들이다.

그러나 에스겔서 18장에는 돌이키라고 말씀하신다. 악인도 그 행위에서 돌이키고 살아남으라 하신다.

이자 놀이, 서민 착취, 간음, 도둑질, 우상 숭배에서 벗어나라 하신다.

조선 말 타락했던 왕들과 양반 사대부들에 대한 심판이 일제에 의한 패망으로 나타났다.

해방이 되었지만, 북한은 김일성 부자를 우상 숭배하는 금수산 태양궁전의 나라로 바뀌었고, 남한은 자본가를 숭배하고, 민주화 세력이 여전히 좌파 독재의 선봉에 서있다.

춘향이처럼 조선의 가난한 여염집 여성들이 관기로 전락하다가, 일제가 지배할 때, 위안부로 끌려갔던 소녀들이 이제는 자본에 끌려가서 창녀로, 미혼모 팡틴으로 전락한다.

조선의 양반 지주의 마름에 착취당했던 소작농들은 일제에 강제노동에 동원되었고 이분들의 후손들은 이제 다시 자본의 노예로 전락했다.

일부만 신분 상승을 하고 대부분의 서민들은 끊임없이 이렇게 전락한다.

중국은 사회주의가 들어서 선부론을 내세웠지만, 농민공들은 그 이전의 삶보다 어쩌면 더 비참한 상태로 전락했다. 일본의 서민들도 마찬가지다. 여전히 자기 자산이 없는 일본의 하류 서민들은 술집 호스티스로, 저임금 노동자, 아르바이트를 전전한다.

한중일의 서민들의 상황은 변함이 없다. 아베류, 시진핑류, 김정은류, 문재인류가 장악한들 변하는 것은 없다.

아리랑당은 반드시 이 땅, 이 동아시아와 세계의 서민들에게 자산을 돌려드리겠다. 부르주아들에게만 갔던 토지와 자본을 이제 이 서민들에게 주기적으로 돌려드리겠다.

이것이 생활 수단 및 생산 수단(토지 노동 자본)의 장단주기 복합 분배론이다.

사회주의도, 자본주의도 아닌, 진정 서민을 위한 제도를 정착시키겠다.

기본소득, 기본주택까지만이 아니라, 기본 자본과 기본 자산이 주기적으로 다시 가난한 사람들에게 주어져야 한다. 그럴 때 영구 평화가 이 세계에 임한다. 이를 명하신 하나님, 하느님을 태양신 대신 섬겨야 한다.

제 1 판 서 문

95. 8월에 텔레비전의 한 프로그램을 보며 끝내 울음을 참지 못하고 서럽게 울다가 써놓은 한 글을 서문의 첫 부분에 먼저 적는다.

-성대한 광복 50주년 기념식의 수혜자-

한 재일 동포 국민학교 6학년 소녀가 울고 있었다. 한국인이라는 것 때문에 차별을 받은 적이 있느냐는 질문에 대답의 말보다 먼저 눈물이 흘러나오고 있었다. 그리고서는 하는 말이 가끔 자기는 일본 아이들에게서 조센징은 조선으로 돌아가라는 말을 듣는다는 것이었다. 일본 재일동포 한국인 조센징, 이는 일본에 사는 한국인들에겐 먼저 한숨과 눈물을 나오게 하는 가슴 아픈 단어들인 것이다. 여중 3학년 학생은 그 질문에 다음과 같은 일화를 얘기했다. "어느 날 청소구역 문제를 가지고 일본 여학생과 다투고 있었는데 자기가 그 여학생에게 막말을 하니깐 옆에 있던 일본인 남학생이 갑자기 '한국인은 입 다물어' 해서 아무 말도 하지 못했습니다." 또 다른 학생에게는 일본인으로 태어났으면 하는 생각을 해본 적이 없냐는 질문에 가끔 그런 생각을 하는 적이 있는데 그 이유는 자기가 일본에서 어떤 꿈을 이루고 싶어도 한국인이기 때문에 아예 자격이 주어지지 않는다는 것을 알았을 때는 그렇다는 것이다.

실로 일본에 사는 그러면서 귀화하지 않는 한국인들은 한국인으로 살아가기 위하여 많은 고초를 겪고 있으나 그 싸움이 四面楚歌的이라는 생각이 들었다. 그나마 북한은 조총련을 통해 학교들을 세우고 적극적으로 민족교육사업을 하고 있으나 남한 정부는 학교라는 것을 하나도 세우지 않고 이들의 장래를 방치하고 있는 형편이었다.

시금 일본에 있는 교포들의 대부분은 자발적으로 일본에 건너간 사람들이 아니다. 일제 강점기에 타의에 의해 강제로 옮겨가진 사람들과 그들의 후손들이 대부분이다. 그러나 광복이 되었음에도 불구하고 그들은 한국으로 돌아오지도 못하고서 그곳에서 이러한 고통을 겪고 있다는 것이다. '김대중 죽이기'라는 책에서 저자 강준만 교수는 자신의 부모가 모두 황해도 출신이어도, 자신이 목포에서 태어나 어릴 적만 전라도에서 보냈을지라도 자신에게 붙어 있는 '전라도 사람'이라는 딱지를 외지 사람과의 관계에서 한참 동안을 감추려고 했던 경험이 있었다고 고백하고 있다.

같은 민족 안에서도 이러한 잠재적인 지역 콤플렉스가 이런 정도로 심한데 하물며 일본에 사는 동포들의 그러한 의식이야 우리의 상상을 초월하는 것일 것이다. 이에는 우리 동포가 다른 나라에서 사는 경우와도 또 다른 양상이 존재하는 것이다. 이는 한일 관계의 독특한 상황에서 생겨나는 것이다.

한 할머니는 또 다음과 같은 말씀을 하셨다. "할머니 고향이 어디세요?" 이 질문에 다른 할머니들은 모두 경상도 어디니 등등 자신의 고향을 말씀하셨는데 이 할머니만 유독 자신의 고향은 없으시다는 것이었다. 그 이유인즉 "저번에 부산 자갈치 시장에 갔다가 싸움을 하고 왔어요. 자꾸 교포라고 하잖아요. 내가 왜 교포예요. 나는 한국 사람이에요. 그래서 막 뭐라 해 대줬죠. 또 느릿느릿 걸음을 걷는 것이 한국 사람이고요, 쫄랑쫄

랑 빨리 걷는 것이 재일 교포라고 하잖아요." 이 말씀을 하실 즈음에 할머니는 이미 목이 메어 있었고 너무 많은 눈물을 흘러버려 말라버렸을 것 같은 그 눈에서는 또다시 눈물이 흘러나오고 있었다. 그리고 할머니는 계속해서 말씀하셨다. "일본에서는 조센징이라고 하지요 한국에 가면 교포라고 하지요 그러니 고향이 어디 있어요?" 그러나 이 할머니가 다니는 야학의 글 깨치기 시간의 작문에서는 자기 집 장롱 안에 5벌의 한복이 있고 이는 자신의 마음의 고향이라는 글귀가 적혀 있었다. 조총련계 학교를 나와서 이 야학에서 교사를 하는 한 여자 선생님은 국민학생 중학생들과 마주 앉아 이들의 한국인으로서의 애로 사항을 들어주고 그들의 마음의 위안이 되어주려고 이 일을 시작했다고 말했다. 그러나 이 선생님이 그들의 어린 애환을 듣다가 복바치는 설움으로 이미 자신이 오랫동안 겪어 왔던 同病으로 울음이 뒤범벅이 되어 다음과 같이 말하였다. "그래 우리는 한국인이야. 그렇지만 우리가 일본에서 한국인으로 살아가도록 도와주는 힘은 너무 미약해. 그러니 어쩌겠니. 참고 사는 수밖에. 어차피 일본을 떠나서 한국에 가서 살 수도 없는 운명인데..."

일제의 침략전쟁에 징용되어 부상당한 상이용사 17명 가운데 원호법의 제정으로 한국인은 보상을 받을 길이 없자 15명은 귀화하여 보상을 받았고 나머지 2명은 끝까지 한국인으로 남아 무고히 끌려와 몸까지 상한 이 전쟁의 피해를 당당히 "한국인"으로서 받아 내겠다고 아직까지도 투쟁을 하다가 한 분은 작년에 돌아가시고 이제 홀로 외로이 투쟁하시는 한 분을 향해 일본 정부는 김종필 씨가 체결한 그 협정으로 한일 간 배상은 모두 끝났으니 그 돈에서 알아서 그 배상을 받아 가라고 한국 정부에

떠넘기는 결정만을 내릴 뿐이었다.

광화문 앞에서는 95.8.15. 50주년 광복절 기념식이 성대히 벌어지고 있었다. 그날 밤에는 잠실 운동장에서 멋진 음악회가 펼쳐져, 남녀의 사랑을 노래하는 이태리 가곡들을, 화려한 의상을 차려입은 성악가들이 목청 높여 노래하고 있었고, 얼굴은 영양과다로 번지르르 기름기 돌며 좋은 옷들을 차려입은 교양 있는 많은 사람들의 귀와 눈을 즐겁게 하고 있었다.

조센징. 재일교포 이들은 여전히 일본 땅에 계신다. 그리고 또 다른 이런 분들이 만주와 사할린과 하와이와 세계 도처에 계시며, 이 한반도 안에도 생존하신다.

80년대 학번들이 갖고 있는 어떤 공통된 특징이 있다고 한다. 보통 이를 '특유의 경직성'으로 표현하기도 한다. 요즈음 우스운 이야기로 여자를 고를 때 너무 못생긴 사람을 고르면 안 된다는 것이다. 그 이유인즉 못생긴 여자는 컴플렉스가 심해서 성격이 왜곡되어진다는 것이다. 그리고 너무 가난하게 자란 남자도 고르면 안 된다는 것이다. 마찬가지 이유이다. 그러나 이는 어렵지 않게 살고 있는 사람들의 논리요 못생긴 한을 품어 보지 않은 사람들의 이야기인 것이 분명하다. 인류는 잘 살았던 시기만이 있는 것이 아니며, 한 개인의 삶도 부침이 있는 것이다. 성경에서는 가난한 자를 멸시하는 것이 그를 지으신 창조주를 멸시하는 것이라고 선포하고 있다. 못생긴 것도 마찬가지이다. 80년대를 고민하며 살아간 사람들이 갖고 있다는 왜곡성이 이렇게 평가되어질 수도 있다. 그러나 이것도 깊이 생각해보면 역사의식이 부족한 평가임을 알 수 있다. 한반도의 역사, 인류의 역사를 살펴볼 때 대한민국의 군사정권이 자행한 잔악상 밑에서의 고난 이상을 겪은 시기는 자주 있었다.

이 글을 쓰기 시작했을 때는 전두환, 노태우 두 사람이 평안히 살고 있었다. 한 사람은 백담사에서 도를 닦고 와서 이제는 골프장을 전전하며 새 도를 닦고 있었고, 또 한 사람도 헬스장을 드나들며 평안히 살고 있었다.

그러나 하늘은 저들이 백발로 평안히 저승길로 가는 것을 원치 않으셨다. 악인의 악함도 필요한 때기 있어서 적절히 사용하신다는 말씀이 성경에 있다. 김영삼 대통령의 진심이 어디에 있었든지 간에 현재 전 씨와 노 씨 두 사람은 그들이 보냈던 수 많은 사람들이 갔던 그 길을 간 것이다. 이글은 군사정권이 아니었으면 어찌 보면 쓰이지 않았을 것이다. 따라서 이 악인들에게도 감사하는 것이다. 나의 삶은 전두환, 노태우 씨와 인연이 깊다. 그러나 그들은 이것을 잘 모를 것이다.

지루하겠지만 이 글에 대한 이해를 돕고자 필자의 삶에 관한 이야기를 간단히 적어 보도록 하겠다.

필자는 고등학교까지 전주에서 다녔으며 이때까지의 커다란 특징이란 열심히 운동하고, 어려운 사람 불쌍히 여길 줄 알았다는 것이다. 중학교 이후 가정 형편이 어려워지기까지는 부족한 것 없이 즐겁게 살았다. 사도 바울처럼 부함과 가난함에 처할 일체의 비결을 배울 수 있는 기회를 제공 받았다. 중학교 2학년 때 교회에 다니기 전까지의 꿈이란 위인전에서 보았던 사람들과 같은 훌륭한 정치가가 되는 것이었다.

그리고 이 시기 동안에 한 번도 서울에 간 적이 없었다. 따라서 고등학교 때까지 커다란 소원 중의 하나가 서울에 고속버스를 타고서 가보는 것이었다. 그러나 이 소원은 대학 입학시험을 볼 때까지 이루어지지 않았다. 79년 10.26일 사태 때 전주고등학교 2학년. 온 나라가 혼란해질 것 같을 때 내게 스쳐갔던 생각은 전쟁이 일어났으면 좋겠다는 것이었다. 그 이유는 80년도에 치러야 할 대학 입시의 관문이 너무 무겁고 두렵게 다가왔기 때문에 전쟁이 일어나면 나도 죽고 모두 죽어 시험의 고통에서 벗어날 수 있다는 고3병에 의한 증상 때문이었다. 그리고 80년, 교회에 오래 다녔으나 정말로 하나님이 살아계신 것인지 의심을 하다가 하나님께서 저를 서울대만 보내주신다면 제가 졸업 후 신학을 공부하여 하나님을 찾아서 만약 찾으면 하나님을 전파하겠고, 그렇지 못하면 조용히 입 다물고 혼자 살겠다고 야곱과 같은 서원을 한 후 기적적으로 치료 받은 고3병(한 여학생을 짝사랑하던 것까지 포함)을 멀리하고 안정 가운데 공부를 하였는데, 5.18이 터졌다. 광주에서 전주로 유학 온 친구들의 동요와 왜곡된 보도에 잠시 흔들렸을 뿐 그 사태의 진상을 모른 채 역사의식의 부족으로 일단은 이 문제를 접어두고 내 공부만 열심히 할 뿐이었다. 여름방학이 중간쯤 지나갔을 때 갑자기 그해 대학입학 시험제도가 바뀐다는 보도가 나왔다. 대학시험을 4개월여를 남기고 입학 시험 제도를 바꾸는 쿠데타적인 일이 교육제도에도 벌어진 것이다. 전두환 씨가 아니고서는 할 수 없는 일이었다.

대학에 들어가서 들어보니 전 씨의 딸이 본고사에 약해 시험제도를 바꾸었다는 설도 있었다. 그리고 그 학생은 후에 인문대 동기가 되었다. 그리고 그 여학생의 고등학교 동기와 같은 반이 되어 매우 친하게 지냈다. 그런데 내 친구에 관한 이야기를 들어보니 원래 이 친구가 그 학교의 졸업식에서 1등 상을 받았어야 했는데 등수가 뒤바뀌어 전 씨의 딸이 1등이 되어 졸업식장에서 상을 받았다는 것이다. 전 씨는 과연 모든 분야에서 쿠데타를 일으킨다. 그가 감옥에서도 쿠데타를 일으킬 수 있을지 모르겠다.

시험 얘기로 다시 돌아가면 이렇게 하여 본고사는 폐지하고 학력고사만으로 대학입학 시험을 본다는 것이었다. 나는 사실 본고사에 별로 자신이 없었다. 잘 되었다는 생각이 들었다. 그러나 갑자기 내신을 반영한다는 것은 커다란 부담이 되었다. 10등급 중 5등급이었기 때문이다. 당시 전주고등학교는 마지막으로 시험을 치고 들어온 학생들이 3학년이었다. 여름방학이 지난 후 학생들의 태도는 상당히 달라졌다. 이전 같으면 대충 보던 학교 시험을 이제는 상당수가 부정행위를 저지르면서까지 보고 있었다. 그러나 마음속의 몇 번의 유혹을 뿌리치고 사나이로서 정도를 가리라 마음먹었다. 이것이 군사정권과의 두 번째 인연이었다.

모의고사 성적은 계속 올라갔다. 이러다가 시험 때가 다가오자 신학 공부를 위한 예비과정인 영문과 진학을 위한 인문대 진학이 은근히 싫어지고, 사회대 정치학과나 경영대 경영학과에 진학하고 싶어졌다. 결국 서원을 어기는 자의 벌이 두려워 인문대에 간신히 진학할 점수만 얻어야 하겠다는 생각으로 학력고사를 고희로 잘못 보아야겠다고 생각했다. 그러나 막상 시험에서는 이런 생각이 없었는데도 불구하고 실제 이런 일이 벌어졌다.

국어시험에서 1문제를 답안지에 잘못 표기했는데, 영어시험에서도 답안지에 옮기던 과정에 한 칸을 뛰어넘어 8개가 틀리는 일이 벌어진 것이다. 뒷자리에 앉은 사람은 계속해서 내 답안지를 자기가 볼 수 있게 해달라고 간청 및 협박을 했다. 정말 힘든 시험이었다. 그리고 간신히 293점을 받아. 사대에 지원하라는 담임선생님의 만류에도 불구하고 재수를 각오하고 인문대를 지원하여 미달 사태의 행운을 덧입고 서울대 인문대에 합격하였다. 그러나 합격통지서를 가지고 어머니께 가져갔을 때는 또 다른 후회가 있었다. 지난 1년을 가난 가운데서도 참으면서 공부할 수 있었던 것은 고생하시는 어머니를 위로할 선물이라고는 합격이라는 것밖에 없다고 생각했기 때문에 야간 학습이 끝나고 밤 12시가 다 되어 집으로 돌아오면서 삼태성 별자리를 바라보며 어릴 적 3형제가 간직했던 추억을 되새기고 '울산에서 나보다 더 고생하는 형이 있으니 참자' 하면서 울음을 삼키며 갈 길을 계속 가자는 믿음과 오기로 전진하였다. 중1 때부터 맛보아야 했던 혹독한 가난은 나에게 근성을 길러주기도 했지만 많은 좌절도 있었다.

중3 때도 수업 시간에 참고서를 가지고 공부하는 시간은 옆자리 친구의 책을 함께 볼 수밖에 없어서 친구에게도 미안하고 견디기 힘든 시간 들을 많이 보냈었다. 수업료를 제 때에 내지 못해 교무실로 불려가 손바닥을 맞는 날은 별 생각이 다 들었다. 그러나 이런 세월을 보낸 사람이 한둘이기 않을 것이다. 동병상련. 겪어보지 않고서는 그 사람을 제대로 이해할 수 없는 것이다. 고등학교 생활도 이것의 연속이었다. 영양실조로 키도 크지 않았다. 나중에 대학을 졸업하고서 군대에 가서 키가 커졌다. 국민의 세금으로 키가 큰 것이다.

한 일화로 대학 2학년 때 봉천동에서 자취를 하고 있었는데 이 때의 상황도 이와 크게 다를 게 없었다. 그런데 이때 전방

입소 훈련이 있었다. 이것을 반대하면서도 한편으로는 입소 기간이 행복했다. 최소한 밥 걱정은 하지 않아도 되었기 때문이다. 고고학과 과회장 일을 하기위해 ROTC를 포기했었기 때문에 나중에 사병으로 운동 특기가 있어서 수도방위사 30경비단에 입대하여서 거의 매일 맞는 등의 고생이 심했을 때도, 매 끼니를 걱정하지 않아도 된다는 생각에 군 생활이 즐거웠었던 기억이 난다. 하나님 은혜로 들어갈 수 있었던 서울대학교 인문대 1학년. 연일 계속되는 데모 속에서 이 사회가 얼마나 불의가 편만한 것인지를 콧물과 눈물 속에서 맛보아야 했다. 5월 어느 날 수업을 마치고 1동 강의실에서 나오다 도서관 앞의 콘크리트 바닥에 누군가 떨어졌고 쿵 소리가 나면서 그 몸이 다시 약간 튀어 올랐다 다시 떨어지는 것을 목격했다. 이윽고 전경들이 달려오고 아수라장이 되었다. 그 형은 경제학과 4학년 광주 출신의 김태훈 선배였다. 그리고 그 형은 영원히 내 가슴에 새겨졌다. 나는 그 자리에서 한참을 울었다. 그리고 컴퓨터 앞에 앉은 지금도 눈물이 흐른다.

당시 나는 너무도 부끄러웠다. 내가 서울대에 왜 들어왔는가? 서원과 효심이 있기도 했지만 그 근저에는 명예욕이 크게 자리 잡고 있기도 했던 것이다. 그래서 나는 대학을 자퇴하려 했다. 당시 나는 구로공단 근처의 이모님 댁에서 살고 있었는데 이모는 사별을 하시고 3남매와 어렵게 단칸방에서 살고 계셨다. 거기에 나까지 신세를 지게 되었으니 고생이 이만저만이 아니었다. 대학 기숙사 입사 자격이 나왔으나 입사비가 없어서 포기하고 이 댁으로 간 것이다. 지금처럼 과외라도 가르칠 수 있었다면 훨씬 형편이 나았을 것이다. 그러나 당시는 과외 금지 조처로 과외를 한 학생들을 구속하던 시기였다. 지금도 기억이 난다. 고대의 한 여학생이 과외를 하다가 구속이 되었던 사건이 있었다. 이 여학생도 지방 학생이었을 것이고 형편이 좋지 않았을 것이다. 당시 전두환의 딸이 인문대 동기로 들어와서 경호원까지 따라다니며 좋은 차를 타고 다니던 것에 비하면 어려운 학생들의 처지는 비교가 되지 않았다. 저녁을 지하 식당에서 100원짜리 라면 한 그릇으로 끝냈다. 돈이 조금 더 있으면 달걀 넣은 120원짜린가 하는 것을 먹었다.

구로공단 근처에 살았으므로 아침, 저녁으로 공단에 출퇴근하는 내 나이 또래의 사람들을 많이 보게 되었고 점차 이웃에서 알고 지내게 되는 사람들이 생겨났다. 그들의 처지와 나의 처지를 비교해보면 그래도 내가 나았다. 그리고 그들에게 부끄러웠다. 그나마 나는 조금 더 혜택을 받아 이렇게 대학이랍시고 다닐 수 있게 된 것이다. 가끔 저축의 날 방송에서 어렵게 살면서 저축한 근로자들을 소개하는 프로그램이 있었다. 나는 이것이 사람 잡는 프로그램이라고 생각했다. 그 어려운 살림에 그 정도의 저축을 했다는 것은 그 댓가를 그들의 몸이 치르고 있다는 것을 반증하는 것이기 때문이다.

차라리 저축의 날에 사치하고 사는 부자들을 취재하고 비판하는 프로그램을 방영하는 것이 더 나은 것이다. 그래서 나는 이들에게 부끄럽지 않도록 그리고 김태훈 선배의 죽음에 보답할 수 있는 삶을 살기 위해 자퇴하고 밑바닥에서 동등하게 시작하려 한 것이었다. 그러나 그것도 가족의 만류와 용기 없음으로 좌절되었다. 1학년을 이렇게 방황 가운데 보내면서 나의 신앙은 퇴색되어갔다. 내가 찾으려고 하였던 하나님은 저렇게 매일 학생들이 전경들에게 맞고 고문당하고 노동자들은 비참하게 사는데도 불구하고 교회 안에만 계시는 그야말로 종교적인 하나님이셨기 때문이다. 그래서 나는 이제 서원을 지키지 않기로 작정하였다. 그런 하나님은 찾아봐야 별 쓸모가 없다고 생각하였기 때문이다. 그러나 1학년 말, 이제 2학년부터의 과를 선택해야 했다. 그래도 영문학과에 갈려고 들어왔으니 거기에 지원하기로 마음먹었다. 그러나 학점은 형편 없었고 떨어졌다.

그래서 다시 생각한 것이 신학을 위한 기반으로 혹시 도움이 될 수도 있고 인류의 기원의 문제를 살펴 볼 수 있을 것으로 보고 고고학 및 성서고고학을 공부해보고 싶어서 고고학과에 진학했다. 기존에 나가던 기독교 동아리 네비게이토 선교회가 데모가 벌이지는 날이면 최루탄을 피해 이 식당 저 식당으로 옮겨다니면서, 역사 가운데 벌어지는 일에 대해서는 관심이 없는 것에 실망하고 탈퇴하였다.

그리고 어느 날, 거의 1년여를 그간 계속 읽던 성경도 읽지 않고, 교회도, 동아리도 나가지 않다가, 친구가 먼저 내려가버린 차가운 자취방에서 하루 정도 굶고 누워있다가 옆에 성경이 있길래 읽어보았더니 하필 사도 바울께서 춥고 배고픈 상태로 감옥에 갇혀 계신 부분을 읽었다. 내가 보았던 목회자들과 너무 다른 삶, 저런 어려운 삶에서도 전하는 예수님이라면 저 분은 정말 무엇을 보았기 때문에 그러실 것이라는 생각이 들었다. 그리고 다시 성경 전체를 읽으면서 이사야서 등지에서 하나님께서 얼마나 이 땅의 공평과 정의에 관여하시며, 그것을 위해 계속 선지자들을 보내셨지만 그 선지자들을 당대의 권력자들이 죽이는 일이 계속되었던 것을 읽었다. 그간 교회나 동아리에서 배운 것과 너무도 다른 모습이었다.

"뜻이 하늘에서 이루어지신 것같이 땅에서도 이루어지이다"는 예수님의 기도의 의미를 깨달으면서, 그리고 사도 바울의 서신들을 읽다가 이렇게 진실하신 분이 전하는 예수님과 하나님이라면 내가 믿을 만하다는 생각이 들면서 그간의 불신이 거의 사라지고 믿음이 생기게 되었고 기독 신자로서 하나님 안에서 할 일이 보여지기 시작했다.

구약 공부를 하면서는 하나님께서 얼마나 사회의 불의와 불평등에 대해서 분노하시는 분이신가를 알게 되었고 세상의 정치에 대하여 하나하나 관여하시는 분이신가를 보게 되었으며 예수그리스도의 이름 앞에 가장 많이 붙는 이름의 소유자가 다윗이라는 이스라엘의 왕이었으며, 현재의 그리스도인들이 왜 "왕 같은 선지자요, 제사장이다"라는 호칭을 붙이게 되는가를 알게 되면서 영의 문제와 이 땅의 문제는 분리할 수 없는 것임을 알게 되자 내가 할 일이 보여지게 된 것이다.

이후 현재의 한국 기독대학인회의 선배를 만나면서 하나님의 새로운 모습을 알게 되기 시작했다. 그러나 여전히 무엇인가 해결되지 않는 깨달음이 필요했다. 그것은 결국 내 스스로 찾아야 했다.

중학교 이후에 교회에 다니기 시작하면서 버렸던 정치에의 꿈, 즉 마음을 높은 데 두지 않기 위해 버렸던 꿈을 이제는 어려운 사람들을 위해 그리고 공평과 정의의 실천을 위해 다시 가지게 된 것이다. 여기에는 대학 3학년 때의 이승장 목사님의 "사무엘서 강의"가 큰 도움이 되었고 이분께서 다윗 같이 되려는 꿈을 품으라는 말씀은 그 후 일생의 좌우명이 되었다.

그러나 여전히 나는 밀을 포도주 틀에서 타작하는 약한 기드온과 같아서 83년도에 과 회장을 하면서 2학년 후배들이 대량 구속되는 사태 속에서도, 그리고 내 앞에서 학우가 붙잡혀 가는 속에서도 눈으로 바라보기만 할 뿐이었다.

그리고 졸업 후 군대에 입대, 수방사에 차출되어 11사단에서 훈련을 받던 중 대대장이 애로 사항 없느냐는 질문에, 훈련병인 나는 겁도 없이 일어나서 장교나 하사관들이 욕설을 너무 많이 하는 등 인간적 대우를 해주지 않는다고 했다가 "자넨 군기가 아직 안 들었구만" 하고 돌아서는 대대장 뒤를 이어 나타난 소대장에게 군화로 가슴을 채이는 일로 군대 생활을 시작하였다.

수도방위사 30경비단에서의 근무는 조지오웰의 "1984년"이라는 소설의 실제 상황을 경험하는 것이었다. 길영철 30 경비단장, 이 사람이 나에게는 대형(BIG BROTHER)과 같은 존재였다. 그리고 그 후 비서실에서의 행정병 생활과 공관에서의 당번병 생활, 고명승 사령관과 권병식 사령과. 5.6공의 군부 핵심 인물들 밑에서 사병 생활을 하였다. 내가 그리도 싫어하던 전두환을 위해 충성을 다하는 경호부대에서 그를 위해 봉사하고 있는 것이었다.

하루는 일요일에 반바지 체육복 차림으로 비서실에 가다가 작전처장 유효일 대령을 만났다. 5.18 당시 중령으로 광주에 있었던 지휘관이다. 그는 내 복장을 나무라면서 자기 방으로 데리고 갔다. 그리고 어느 학교를 다니다 왔는지 물어보았다. 나는 팔을 들고 맨 바닥에 무릎을 꿇고 한참을 반성하다가 나왔다.

전두환이 사령부를 순시하는 날이 있었다. 그가 경호원들과 수행원들과 함께 비서실 앞을 지나갔다. 순간 어떤 생각이 스쳐

지나갔지만 원수를 친히 갚으시리라는 말씀을 기억하였다. 그리고 이제 주의 심판의 날이 그들에게 임한 것이다. 또한 시편 107편 40-43절의 다음과 같은 말씀을 이루어진 것이기도 하다. 여호와께서는 방백들에게 능욕을 부으시고 길 없는 황야에서 유리케 하시나 궁핍한 자는 곤란에서 높이 드시고 그 가족을 양 무리 같게 하시나니 정직한 자는 보고 기뻐하며 모든 악인은 자기 입을 봉하리로다. 지혜 있는 자들은 이 일에 주의하고 여호와의 인자하심을 깨달으리로다.

가끔 너무도 힘이 들었을 때 왜 하나님께서는 이 악인들을 심판하시지 않을까 하는 생각을 해본 적이 있었다. 그리고 성경에도 악인들의 형통함에 대해 하나님을 원망하는 사람들에 대해 하나님의 답변이 나오기도 한다. 즉 심판이 있다는 것이다.

87년 6.29 즈음에 노태우 씨가 수도방위사에 자주 출입하였고, 정호용 씨도 그랬던 것으로 기억난다. 그리고 내가 비서실 행정병이었기 때문에 토요일에 있는 장성단의 테니스 시합에서 경기 기록을 가끔 하였는데, 하루는 박종철 고문치사 사건으로 시끄러워지자 한 장성이 하는 말이 "그런 놈들은 그리 없애야 한다."였다. 하나님께서는 지금 그의 처지가 그렇게 되게 하셨을 것이다. 반면 육사 동기들 중에서 선두 주자들만 온다는 수방사의 장교들 중에서 진정 국가와 민족을 생각하는 참 군인들을 만날 수 있었던 것과 지금까지 교제가 이어지는 것은 커다란 수확이 된다.

그리고 제대 후 럭키금성에 입사하였다. 본격적으로 정치를 하기 전에 실물경제를 익히고 여러 가지 여력을 확보할 생각이었다. 그래서 (주)럭키에서 2년여를 근무하였다. 이를 통해 한국경제의 여러 실상을 파악할 수 있었다. 이 기간은 여기 한국 자본주의와 관련된 이 글을 쓰는 데 실제적 도움을 많이 주었다. 생활용품 사업부의 최상배 과장님, 조운행 과장님, 임창용 부장님, 정인수 사장님, 김복상 선배님 그 외 여러 선후배 동기들은 평생 잊을 수 없는 분들이다.

한국 군대 중에서 가장 군기가 세다고 하는 수방사보다 나에게는 기업이라는 곳이 눈에 보이지 않는 기강이 더욱 세다는 생각이 들었다. 군에서는 체벌로서 기강을 잡고 있지만, 기업에서는 생존의 목숨 줄을 잡고서 기강을 세우고 있는 것이다. 아담의 범죄 이후에 남자들에게 주어진 저주가 여기에 있는 것이다.

2년여를 열심히 생활한 뒤 더 이상의 생활은 향후의 정치 활동에 도움이 되지 않을 것이라는 판단이 들었다. 기업인의 의식과 정치인의 의식은 근본적 차이가 있다는 생각이 들어 기업에 너무 오래 몸을 담으면 안 된다는 생각이 들었다. 기업도 공익적인 성격이 없는 것이 아니지만 결국 이윤 추구가 그 최대의 목표인데 반해 정치는 공평과 정의의 실현이 최후의 지향점이라고 보기 때문이다. 그러나 실상은 이렇지 못한 데에 한국 정치의 문제가 있는 것이다.

원래 사원이 3년 이내에 회사를 그만 두면 그간 그에게 투자한 여러 가지 것을 다 회수하지 못한 것이 된다고 한다. 하지만 이러한 죄송스러움을 간직한 채, 그리고 다만 최선을 다해 일해 왔다는 변명과 앞으로 정치계에서 훌륭한 일을 할 수 있다면 럭키금성이 거기에 정당한 정치헌금을 한 것이 된다는 생각으로 퇴직을 결행하고 본격적인 정치 활동을 위해 그 기반으로 공부의 필요성을 느껴 서울대 외교학과에 입학하게 되었다.

이때도 다시 한번 하나님께 기도를 드렸다. 제가 정치에 입문하기를 원치 않으시면 이 편입 시험에 통과시켜 주지 마시고 만약 원하신다면 통과시켜 주실 것을 기도드렸다. 그리고 외교학과에 편입할 수 있게 되었다. 그러나 91년도에 시작한 공부를 여전히 먼저 그의 나라와 의를 구하기보다는 무엇을 먹을까 무엇을 마실까를 고민하는 나날을 보낸 적이 많아 총 4년간의 5학기를 끌어 졸업하게 되었다. 그러면서도 이 과정에 이전에 고민하였던 많은 문제들에 대하여 성경과 정치학을 연결시키려는 노력을 계속하였고 여기에는 한국 기독대학인회의 김만성 목사님, 김회권 간사님과 93년도부터 참여하게 된 두레 연구원의 김진홍 목사님의 도움이 컸다. 또한 외교학과의 윤영관 교수님의 도움이 컸으며, 특히 '남북문제연구'라는 과목에서는 이 글의 기반이 되는 정치 경제 문제를 깊이 생각해 볼 수 있는 기회가 되었다. 그리고 하영선 교수님의 '한국외교사' 과목도 도움이 되었으며 최정운 교수님의 강의와 박상섭 교수님, 하용출 교수님의 도움도 컸다.

93년도에 사회대 내의 기독인들과 결성하여 성경과 전공 분야의 연구를 통해 공의를 통해 실천하자고 모인 「나라와 義」는 이제 평생 키워갈 겨자씨 한 알이 되었다.

이러다가 1994.6.6일 집에 돌아가다가 신호등에서 신호대기중 음주운전의 택시 기사가 충돌사고를 일으키고 도주하여 4개월여를 입원하는 일이 벌어졌고, 졸업을 얼마 남겨두지 않은 시점에서 허물과 부족을 연단 하시는 주님의 사랑 가운데 상당한 고통을 겪게 되었다. 이후 성수대교 붕괴사고가 날 즈음에부터 시작된 이 글을 하영선 교수님의 지도 아래 졸업 논문으로 쓰기 시작한 것이다. 3학년 때 한국 자본주의의 기원과 관련하여 썼던 짧은 글을 바탕으로 이 문제를 좀 더 심도 있게 접근하고 싶다는 생각을 말씀드리자 미국의 하버드대 한국학 연구소장으로 있는 C.J.Eckert의 OFFSPRING OF EMPIRE - The koch'ang Kims and the Colonial Origins of Korean Capitalism, 1876~1945 - 라는 글을 소개해 주셨고, 경제학과 안병직 교수님의 도움을 받아 이 책을 구하고 아울러 여러 조언의 말씀을 듣고 이 책을 차근차근 읽어나갔다.

그러나 곧 분노가 시작되었다. 한국 자본주의가 일제와 그리고 그들의 앞잡이인 김성수 씨, 김연수 씨 일가에 의해 발전되어졌고 이후 일본과 손을 잡은 군사정권에 의해 확고한 성장을 이루게 되었다는 것이 그 기본 골격이었다. 가끔씩 이 반민족적, 동족 착취적 자본가들을 비판하면서도 결국은 그들을 한국 자본주의의 기초자로 묘사하고 있었고 심지어 그 와중에도 김성수 씨가 일제 말기에 일제의 앞잡이가 되어 일간지에 실었다는 전쟁 참여 독려문도 그 증거로 사용하고 있었다.

이 책이 아직 한국에는 번역되어 있지 않다.(개정판을 내는 지금 시점엔 번역되었다. 번역자는 주익종 씨다) 이미 번역이 완료되었으나 그 필자가 한국 기업들에게서 연구비를 받고 있는 형편이라 이 책이 번역될 경우의 갈등을 두려워하여 차일피일 미루고 있다는 것이다.

한편 건강의 악화와 학부를 두 번째 졸업하는데 대충 논문 형식만 갖추고서 완성하여 졸업한다는 것이 스스로 용납되지 않았고 좀 더 심혈을 기울이고 반증 자료를 찾아서 글을 써야 한다는 생각에. 작업의 양이 확대되어 이 졸업 논문의 윤곽만을 하영선 교수님의 지도 아래 완결한 채 졸업을 하게 되었다.

그리고서 다시 작업을 시작하여 95년 5월에야 이 글의 완성을 보게 되었다. 비록 부족한 글이지만 이 글은 참으로 눈물겨운 작업으로 이루어졌다. 교통사고 후유증으로 불면의 밤들이 계속 되었고, 체력은 저하되었지만, 이 글이 기본으로 갖고 있는 Eckert 교수의 글에 대한 비판 과정에 Eckert 교수의 글에 나타나고 있는 한국의 성장 뒤에 숨어 있는 수많은 피해자들 -노동자, 소작인, 위안부 여성, 해외 동포들, 독립 투사분들을 생각하면서 그리고 이분들이 한국 자본주의의 발전을 위해 죽어간 겨자씨 한 알로 여겨지지 못하고 오히려 반민족적 자본가와 일제의 앞잡이, 그리고 일제와 일본이 한국 자본주의 발전의 원동력으로 묘사되어지는 것에 분개하여 밤을 새우고 새벽을 깨우면서 글 쓰는 작업을 계속하였던 것이다.

위에 지루하게 열거했던 나의 Life Story는 이 작업에 힘을 더하여 주었다. 내가 직접 가난하게 살아오면서 보아왔던 수많은 가난한 사람들, 특히 풍요의 땅 전북에서 오히려 가난한 사람들이 많을 수밖에 없었던 사실과 그 이유를 확인하면서, 구로공단에서 보았던 수많은 젊은 노동자들의 그늘진 모습을 보면서, 전경에게 머리채가 잡혀 끌려가는 학생들을 보면서, 분신했던 사람들, 김태훈 선배, 광주와 거창과 처처의 한을 보면서, 그리고 말없이 자기 일에 열심을 다하는 수많은 White collar를 포함한 근로자, 주부들을 보면서 내 가슴에 새겨졌던 각오들과 생각들, 그리고 성경을 읽으면서 깨달았던 사실들을 떠올리면서 이 글을 이어갔다. 이것이 없었다면 이 부족한 책일망정 존재할 수 없었을 것이다. 따라서 드러내기에 변변치 못하지만 이 책은 바로 이분들에게 바쳐지는 것이며 나의 일생도 가끔 내가 꿈속에서 보았던, 나를 향해 손짓하고 있는 환난 당한 사람들에게 바쳐지는 것이다.

그리고 나에게 다시 한번 기회를 주시면서, 위에 열거하지 못한 나의 죄악과 허물들을 십자가에서 용서하시고 다시 한번 하나님과 불쌍한 이웃들을 위해 나의 남은 힘을 최후로 삼손처럼 사용하라는 확신을 주신 하나님께서 이 모든 일을 주관하셨음을 알고 감사드리며 이 모든 것을 하나님께 바친다.

아울러 인터뷰에 임해주신 이랜드의 박성수 사장님과 삼성그룹의 임원분들, 그리고 가족들과, 우리의 어려운 생활 중에 여러모로 도와주신 천지 여러분들과 공평과 정의의 실현을 도모하자고 모인 "나라와 義"의 여러 성원에게 감사드린다.

끝으로 다음의 말씀을 적으며 제 1 판 서문을 마친다. 그리고 이 글에서 여러 부족한 점들은 계속되는 연구로 보완할 것을 약속한다.

행악자를 인하여 불평하여 하지 말며 행하는 자를 투기하지 말지어다. 저희는 풀과 같이 속히 베임을 볼 것이며 푸른 채소 같이 쇠잔한 것임이로다.

대저 행악하는 자는 끊어질 것이나 여호와를 기대하는 자는 땅을 차지하리로다. 잠시 후에 악인이 없어지리니 네가 그곳을 자세히 살필지라도 없으리로다. 오직 온유한 자는 땅을 차지하며 풍부한 화평으로 즐기리로다. (시편 37편 1-11)

Ⅰ. 서 론

누구든지 제 목숨을 구원코자 하면 잃을 것이요. 누구든지 나를 위하여 제 목숨을 잃으면 구원하리라는 말씀을 예수님이 하신 적[1]이 있으시다. 세상에는 많은 사람들이 태어나 각각의 일을 하다 죽어간다. 그러나 그들의 삶의 상태와 질은 모두 다르다.

자기 한 목숨 잘 살려고 발버둥치고 가는 이들이 있는가 하면 그 이웃과 국가와 세계의 문제를 자기 것으로 삼고 고군분투하다 죽어가는 사람들이 있다. 우리나라의 역사 가운데도 이러한 분들이 많이 계신다. 특히 근대 국민국가로 거듭나는 과정에는 더욱 그러했다. 정약용, 전봉준, 안중근, 안창호, 이승훈, 김구 등등 일일이 열거할 수 없는 많은 분들이 계신다. 외국에도 근대 역사 가운데 이러한 분들이 많이 있으며 이들 중에는 뛰어난 사상가들도 많이 있다. 여기 한국 자본주의의 기원 문제를 다루려는 이 글에서 다루어지게 될 이들 사상가 중 마키아벨리, 마르크스, 막스 베버 등도 바로 이러한 인물들이며 이 글에서 이들의 사상이 가지는 중대성은 상당하다. 이들이 이 시대에 한국땅에 살고 있지는 않지만 그들의 지혜가 오늘 이 장소에 어느 정도 적용될 수 있다는 것은 바로 제 목숨을 잃고 옳은 것을 추구한 사람들의 불멸성, 시공 초월의 위대성을 보여주는 것이다. 다만 이들의 이론과 사상이 제대로 적용되어질 때 할 수 있을 것이며, 동양의 옛 성현이 말씀하셨듯이 시편 여러 구절을 외우 고 있어도 그것을 제대로 적용할 수 없다면 이는 無用을

---

1) 누가복음 9장 24절

넘어 여러 해악까지 가져올 수도 있다는 점에서, 특히 이들 이론으로 한국 자본주의를 이해한다는 것은 위험성이 있기까지 하다.

북한이 아직도 마르크스 이론을 따라 이제 얼마 남지 않은 사회주의 국가의 보루 역할을 이 한반도 안에서 담당하고 있는 상황에서는 '남한의 자본주의' 다시 말해서 '한국 자본주의'에 대한 엄밀한 이해가 요청되며 이는 민족의 장래를 위해서 뿐만 아니라 인류의 향방에 대하여도 일정 지표를 제시할 수 있는 시험대라는 의미에서도 더욱 그러하다.

특히 최근 들어 이미 붕괴한 사회주의 권내에서도 다시 사회주의 정당, 정권의 재등장 및 성장 활약 양상은 이러한 재 이해를 필요로 한다. 또한 '한국 자본주의'가 단순히 북한과의 문제만이 아니라 일본과의 관계에서도 여러 문제점을 노정시키고 있다는 점에서도 그러하다. 날이 갈수록 한일 간의 문제는 복잡해질 가능성이 많다. 지정학적 관계뿐만이 아니라 냉전체제가 사라지고 미국의 패권이 약화하는 등 동북아 국제질서가 변화하는 상황 속에서 일본의 군국주의화 및 패권국가로서의 등장 노력들이 보여지고 있는 상황들이 나타나고 있다. 독도는 일본 땅이라는 주장도 이러한 그들의 거시적 전략에 기반한 미시적 수놓기 전술인 것이다.

따라서 한국 자본주의의 기원 및 발전 문제를 연구함으로써 이러한 여러 가지 문제에 대한 대안을 마련할 수 있는 것이다. 그런데 이에 대하여 국내만이 아닌 국외에서도 여러 연구가 상당히 진행되어지고 있고 각종 이론적 실제적 논란이 계속되어지고 있어 이에 대한 보다 실증적이고도 논리적 이론에 기반한 연구가 요청되어지고 있다.

그러나 위에서도 살펴보았듯이 한국 자본주의에 관한 연구는 국내만의 문제가 아니며 일본과의 연계에 있어서도 미묘한 문제가 남아 있고 이는 국제 정치적으로도 향후 우리의 방향과도 관련이 있어서 그리 쉽지 않은 문제이다. 따라서 이 문제에 관여하다 보면, 국수주의적인 면모가 지나치게 부각되어지거나 혹은 역사사회성을 상실한 공허한 논의가 되어지기 쉽다.

그리고 또한 이 문제를 어떻게 해석하느냐에 따라 감정의 관점에서부터 시작하여 여러 실제적 이해관계가 걸린 문제에 이르기까지 상당히 양분된 양상을 보일 가능성이 있으며, 향후 국가 정책 등을 비롯한 각종 공공적 성격의 사안에 지대한 영향이 미쳐지기도 한다. 따라서 어떻게 중용적 자세를 취하면서 편벽됨이 없이 이 주제에 접근해 가는가 하는 것은 이 연구 성과의 향배를 결정한다고도 볼 수 있다.

또한 21세기를 얼마 남겨두지 않은 이때의 여러 양상과 관련하여 볼 때 사회적으로도 이러한 작업의 필요성은 더욱 높다고 본다.

대한민국이 일제로부터 해방이 된지 50주년이 되는 1995년도에 해방 50주년이라고 국내외적으로 각종 행사가 펼쳐졌고 언론에서도 이에 관련 선도적 역할을 하였다. 그러나 이 나라 역사가 5000 여 년이라 할 때 일제 강점기는 36년에 지나지 않았음에도 마치 미국에서'독립 200주년'이라는 용어를 사용하는 것처럼 해방을 자랑스럽게 여기며 이 용어를 애용했다는 것은 오히려 부끄러운 점이 있으며 광복보다는 그 광복을 필요로 하게 된 역사에 대한 깊은 성찰과 반성 그리고 그에 기반한 기념이 臥薪嘗膽(와신상담)을 줄 수 있다는 점에서, 그 강점기에 이 나라 안에서 어떤 일이 벌어졌고 그 잔존 병폐는 아직도 남아 있지 않은가 하는 것과 그 뿌리를 어떻게 제거하고 새 역사를 만들어 갈 것인가를 깊이 생각해보는 한 해로 삼았을 때 앞서 가신 순국선열에 대한 후손으로서의 의무를 다하는 한 해가 되었을 것이며, 광복 50주년을 지나 51주년이 되는 해부터는 21세기를 준비하면서 도약의 기틀을 마련할 수 있게 되었을 것이다.

그러나 광화문에서 거행된 8.15 기념행사에서 연주된 곡 중에 일본의 것이 있었던 것이 뒤늦게 밝혀진 것에서도 드러나듯이 이는 역사적, 사상적, 철학적 기반이 부족한 부실적 기념의 해였음이 나타난다. 또한 이 기념의 수혜자 향유자는 현재 한국 자본주의의 핵심 열매를 먹고 있는 사람들이 되었고 일제 강점기의 진정한 피해자인 정신대 여성들, 직간접적으로 강제 이주된 재일교포들을 비롯한 해외 동포들과 그 후손들이 겪고 있는 현재까지의 환난과 곤고에 대하여는 에피소드적인 처리에 불과한 관심만 받았으며, 이들의 문제를 근본적으로 해결하려는 국가적 노력은 여전히 미미한 상태에 머물러 있는 것이다.

이제 강화도 조약이 체결된 120년 정도, 한일합방이 된 지 85년 정도, 해방이 된 지 50년 정도, 분단이 된 지도 50년 정도, 한국전쟁이 있은 지 45년 정도 되는 때에 한국 정부는 19세기 이후의 조상들의 한을 어느 정도 풀어 드리며 OECD 가입을 추진하고 있고, 또 그 가입 방지를 위한 국제적 압력이 있는 정도로까지 경제력이 발달하였고, 특히 80년대 중반 이후 세계적으로 그 가능성이 인정받는 상태 가운데서 미국 등으로부터는

각종 쌍무적 규제 조처[2])를 받는 등 그 성장은 아직 선진국 수

2) 86아시안게임과 88올림픽 유치과정에서 80년대 초반의 3저 호황으로 급진전하게 된 흑자 및 성장 선전 이후 美國의 경제 사정 등과 맞물려 쌍무적 규제조치가 이루어지게 되었고 86년 7월 21일에 거의 1년간 끌어오던 한미 통상문제가 일괄적으로 타결되었던 것이(외무부 보험 및 지적소유권 최종합의안, 86.7.21) 당시에 벌어진 사태였다.(매일경제 86.5.29-7.30, 동아일보 86.7.21-30, 조선일보 86.7.21-30)
이후로도 88.8.23에 立法確定 및 發效된 美國 綜合貿易法의 핵심조항의 하나인 市場開放條項(슈퍼 301條)의 집중포화 대상으로 지목되어 89.5.25 한.미 수퍼301條 협상이 타결되는 것에 이르렀다. (商工部, 1989년도 한미수퍼 301조 협상백서, 1990.4)
93.12.15 UR타결 이후에도 이러한 압력은 계속되어 미하원에서 UR이 찬성 288對 반대 146으로 압도적 비준을 받는 즈음에 (94.11.29 통과;한겨레 94.12.1) 미 무역대표부(USTR)는 94.11.22. 한국 육류시장에 대한 통상법 301조를 실시하기로 결정하는 등 UR의 원칙을 자국 이익을 따라 위배하고 있어 (한겨레 94.11.24) 한국정부도 이에 대해 세계무역기구(WTO)에 제소할 방침이라고 외무부에서 밝혔다.(한겨레 94.27)
또한 이러한 미국의 행위에 발맞추어 유럽연합(EU)도 94.11.24 런던에서 열린 농업관련 세미나에서 한국 등을 농산물시장 신규시장으로 지목하고 미국이 쌍무협정으로 한국에 시장개방 압력을 넣어 성과를 거두면 미국에 대한 것과 동등하게 시장개방을 해 줄 것을 요구할 것으로 추정된다고 26일 대한무역진흥공사 브뤼쉘 무역관 보고가 있었다.(한겨레 94.11.27) 이렇게 한국경제의 성장에 대한 서구의 인성과 함께 압력도 가중되어지고 있다.
이러한 類와 관련한 추가적 참조자료로는 김규태, 이영주, 미국의 대외시장 개방 압력수단운용현황분석(산업연구원, 1991); 김남두, 미국의 무역장벽(대외경제정책연구, 1992); 박운서, 통상마찰 현장(매일경제신문사, 1989), pp. 184-200; 윤석, 조현태, 미국의 통상정책 결정요인(산업연구원, 1993),p.38.;d 이에 대해 윤영관, 1990년대 국제경제질서와 한국경제(정경세계,1992.7), pp.178-196; 허광숙 외2인, 대미통상. 산업협력방안(산업연구원, 1993) 등이 있다.

준에 달한 정도는 아니나, 어느 정도 자타가 공인하는 상태에 이르렀고, Nics의 하나로서 앞으로도 성장이 지속될 국가[3]로 주목받고 있다.

또한 한국의 이러한 경제 발전과 관련한 사실들이 종속이론[4]

---

3) 자유주의적 시각에서 이렇게 보는 경우가 대부분인데 세계경제를 세계 체제론에서처럼 중심부, 반주변부, 주변부로 구조화하여 보는 것과는 달리 선진국. 중진국. 후진국으로 나눠 상호 이동 가능한 영역으로 보는 견해가 있으며 그 대표적인 것으로 日本의 中村 哲의 논의이며 世界 資本主義와 移行의 理論, 안병직(역), (비봉출판사, 1992), pp.25-128.에 잘 나타나 있고 특히 한국의 선진자본주의화 가능성에 대해서는 同書 p.161에 적고 있다.

또한 Joan E.Spero, The politics of International Economic Relations, 4th.ed.,(St.Martin's Press, 1990), pp.147-57에서 Nics 의 특이성이 논의되고 있으며, 저개발구가들의 발전 가능성을 얘기하는 것으로는 W.W.Rostow,"The Take-off into Self-sustained Growth." Developing the Underdeveloped Countries, editer by Alan B.Mountjoy (Macmillan, 1971), pp.86-114이 있으며 저개발국의 저개발상태의 원인이 국내적 정책문제 등에 기인하는 경우가 많으며 이러한 것을 해결하면 되는 것으로 보는 시각으로는 Harry G.Johnson, Economic Polities Toward Less Developed Countries(The Brooking Institution, 1967), pp. 65-110이 있다.

이렇게 서구적 발전 방법 또는 모델을 취하면 발전할 수 있다는 것을 통칭 '근대화론'이라 부르기도 한다. 이러한 것은 구조적 시각 결여로 비판받는다.

4) 종속이론으로는 그 기원으로서 제국주의론 V.I.Lenin, Imperialism, The Highest Stage of Capitalism (Peking: Foreign Language Press, 1975), pp. 72-118이 있으며 종속이론의 대표적인 격으로 A.G.Frank, "The Development of Underdevelopment," Imperialism and Underdevelopment:a reader, editer by Robert I.Rhodes (Monthly Review Press, 1970), pp.4-7; Ian

을 비판하는 것에 이용되기도 하는 등 정치, 경제학적으로도 연구와 주목의 대상이 되고 있으며[5] 이러한 것은 95년 3월 8일 코펜하겐에서 열린 유엔 사회개발 정상회의 비정부기구 포럼에서 '인간사회발전 한국 포럼'이 주최한 '한국형 경제 발전, 제 3 세계의 모범인가'라는 주제의 토론회에서 한국 측 발표자들은 "분배구조의 왜곡 등 사회, 경제적 불평등을 가져온 한국형 발전모델은 제 3 세계가 뒤따라야 할 모범이 아니라 실패의 교훈" 등으로 자체 평가하는 것과는 달리 참석한 일부 외국인들은"한

Roxborough, Theories of Underdevelopment, (New Jersey; Humanities Press, 1979), pp.27-41이 있다.

또한 종속발전론으로서는 P.Evans, Dependent Development: The Alliance of Multinational, State and Local Capital In Brazil(New Jersey; Princeton Univ. Press, 1979), pp.14-54이 있으며 이에 대한 비판으로서 Leadership 등을 강조하는 R.Giplin, "Dependency theory and Modern World System: A Liberal Critique," Poverty amidest Plenty, World Political Economy and Distributive Justice, edited by Edward Weisband (Westview Press, 1989), pp.146-154가 있다.

이러한 Gilpin 類의 시각과 대치되는 것으로 Wallestein의 세계체제론이 있으며 I.Wallerstein, "세계 자본주의 체제론적 분석." 세계체제론: 자본주의 사회변동의 이해, 김광식. 여현덕(역) (학민사, 1985), pp.229-247; I.Wallerstein, "세계 자본주의체제의 등장과 미래의 붕괴," 세계 자본주의 체제와 주변부 사회구성체, "상호의존적 세계에서의 종속," pp.53-81; 김상배, "장주기 국제정치 이론," 현대 국제정치이론, 하영선(편), (나남, 1991), pp.153-215; 김기정, "세계체제론," 현대 국제정치학, 이상우. 하영선(편), (나남, 1992), pp.75-100에 잘 나타나 있다.

5) 中村 哲, 상게서, pp.25-128에서 논의하고 잇는 것 외에도 국내외적으로 다수가 있다.

국의 경제 발전 자체는 인정해야 하는 것 아니냐"는 반론으로 맞서[6] 한국 경제를 바라보는 다양한 관점의 분기점이 되어지기도 한다. 하지만 분명한 것은 한국 사회가 이러한 발전과 함께 북한과의 분단 문제, 한국 내부의 여러 정치, 경제적 갈등 등의 어두운 면[7] 등 결코 적지 않은 모습을 배태하고 있는 실정이라는 것이다.

따라서 이렇게 明暗이 교차되는 한국의 상황과 관련하여 그 원인을 찾아보고 대책을 모색하는 것이 暗은 축소시키고 明을 확장시키는 지름길이 될 것이며, 이러한 작업은 한국은 물론 제3세계에 대해서까지 일단의 비전을 제시할 수 있다는 점에서 그 효용성이 높다 하겠다. 한편 이러한 작업에 필요한 요소 중의 하나가 한국 자본주의의 성격 규명이 될 것이며, 성격 규명의 기본 단계로서 그 기원을 穿鑿하는 것이 필수적이라 본다. 이 기원 천착 작업은 국내외의 많은 학자들에 의해 이루어져 왔고 현재도 진행 중이다.[8] 그러나 작업의 가설이나 결과는 상당히

6) 한겨레신문, 95.3.9., 7면

7) 조선말 이후 일제시대, 해방이후 군사정권 그리고 현재 문민정부에 이르기까지 이 땅의 어두운 역사를 다 적는다면 얼마만한 지면이 필요한지 알 수 없을 것이다. 한편 최근의 사태만 얘기해도 94.10.21에 붕괴한 성수대교 사건은 한국자본주의의 실상을 극명히 보여주는 예이며 이에 대해 이 글과도 관련이 있는 인촌 김성수 씨가 창건한 동아일보 94.10.25 사설에서는 "원점에서 새 출발을"이라는 제목으로 "우리 사회가 총체적 부실이며 그동안 공들여 이룩한 성취도 결국은 모래 위의 누각임이 드러났다"고 역설하고 있다.

또한 94.11.12에는 전국적인 단위로 공무원들의 세금비리가 조사되고 있는데 이미 드러난 것만도 국민의 분노를 자아내기에 충분한 것이며, 이 사회가 이렇게 된 원인이 그 기초부터 찾아져 그 근인을 고치지 않으면 안되는 상황에 이르렀다.

반대되는 측면으로 分岐되어 있고 논쟁이 진행되어지고 있다. 그리고 그 분기의 원인점으로서 가장 문제되는 것이 일제와의 관련이다. 또한 이 문제는 최근까지도 여러 다른 측면에서 마저 紛起의 사항이 되고 있다. 정신대 문제[9], 전후 보상문제[10], 침

---

8) 이러한 것과 관련된 것은 상당히 다양한데 국내의 대표적 저서로는 강만길, 조선후기 상업자본의 발달(고려대 출판부, 1973); 강만길, 고쳐 쓴 한국근대사(창비, 1994); 강재언, 한국근대사연구(청아, 1982); 안병태, 한국근대경제와 일본제국주의(백산, 1982); 김문식 외 4인, 일제의 경제침탈사(현암사, 1982); 김영호(편), 근대동아시아와 일본제국주의(한밭, 1983); 조기준, 한국자본주의 발전사(대왕사,1991). (이 조기준씨의 논지를 Eckert가 비판한다.); 주종환, 한국자본주의사론(한울, 1998)등이 있다.
 북한에서 나온 것으로는 김광진 외 2인, 조선에서 자본주의적 관계의 발전(사회 과학출판사, 1970)등이며 외국의 것으로는 梶村秀樹, "동아시아 지역에서의 제국주의 체제로의 이행," 한국근대 경제사연구:이조말기에서 해방까지, 梶村秀樹 외 5인(사계절, 1983); 中村 哲, 상게서; Carter J.Eckert, Offspring of Empire: The Kochang Kims and the Colonial Origins of Korean Capitalism, 1876-1945(Univ.of Washington Press, 1991)등이 있다.

9) 이는 최근에도 진행되고 잇는 문제로 한백홍, 실록여자정신대(예술문화사, 1982); 임종국(편역), 정신대(일월서각, 1981); 유인호, 한일경제백년의 현장(일월서각, 1984), pp.29-34; 조지힉스, Comfort Women (London: Souvenir Press, 1995)등에 잘 나타나 있다.
 1994.11.22 국제법률가위원회가 공표한 '한국 등의 종군위안부에 대한 모든 책임이 당시 일본 정부에 있으며 2차 대전과 그 기간에 전쟁범죄,인도주의에 대한 죄, 노예.부인.아동매매에 대한 국제법의 관습을 어겼고 일본정부는 그 조사가 불충하며 문제 해결보다는 진정을 꾀하고 있고 옛 군인들에 대한 청취 등 완전한 조사가 필요하며 한일청구권협정도, 일-필리핀배상협정도 옛 대일 배상청구를 방해하는 것이다'고 밝히며 '피해자임을 밝히고 나선 옛 위안부들의 사안을 판정

하는 기관을 시급히 설립해야 하며 피해자들이 무시됐던 세월을 고려하면 4만 달러의 잠정보상금에는 정당한 이유가 있으며 권고사항으로 일본은 위안소 시설의 운영, 유지 정보를 공개해야 하며 약 6개월 안에 피해자의 제소를 청취해 처리하는 행정기관을 신속히 만들어야 하며 그렇지 않으면 재판이 빨리 이루어지도록 적당한 입법조처를 강구해야 하고 위 조처를 취하지 않으려면 피해자의 의료비부담, 주거제공 등을 포함한 원상 회복조처를 강구해야 한다'는 등의 최종보고서(한겨레신문 1994.11.24. 국제 7면)를 냈다. 한국자본주의에 혜택을 많이 준 일제에(Eckert, 전게서, pp.1-6) 性的으로 이 땅의 여성들이 奉仕를 하였는데 이제 와서 무슨 배상이 필요한 것인지 국제법률가위원회는 자신만큼 '한국의 일제와의 관련 역사'를 모르고 있으며 '공평과 정의'과 무엇인지도 모르고서 법률가 활동을 하고 있다고 Eckert는 비난할 것인가 묻고 싶다. 그래서 Eckert는 한국자본주의의 기원을 이룬 김씨 일가의 대표격인 인촌 김성수 씨가 한국의 종군위안부들이 일제 군인의 성감 해소 대상의 봉사를 하고 있을 때 '이들과 일제에 징용되어 나가고 나갈 한국의 청년들과 백성들'을 향해 "Dying for a Righteous Cause: The Responsibility of Imperial Citizens is Great"라는 글을 1943년 12월 6일에 매일신보에 실었다고 Eckert는 그 저서의 마지막 부분에 Appendix 2로 달면서 자신의 글을 마침으로써(Eckert, 상게서, pp.223-226), 자신의 논지가 국내에 알려지고 정신대 할머니들의 귀에 들어간다면 전명운, 정안환 의사의 정신을 이어받는 분들이 나오시지 않을까 염려된다.

D.W.Stevens는 한일합방이 되기 전에, 국제법률가위원회 및 세계의 양식있는 지식인들이 다 인정하는 일제의 잔학상이 본격적으로 시작되기 전인 1904년부터 한국에서 외교고문을 하다가 1908(순종 2년) 3월 미국에 돌아가 기자회견을 하면서 한국이 일본의 보호정치를 찬양하고 있다고 말했다가 오클랜드역에서 저격되었는데, 이후의 잔학상에는 공정한 결론을 내지 않는 Eckert는 스티븐즈 보다 더한 편견의 사람으로 사료된다. 그리고 이러한 논지의 글에 상을 준 미국학계의 태도도 재고되어야 한다.

10) 1965.12 강행 체결된 한일기본조약과 더불어 한일청구권 및 경제협력협정 등으로 한일간에는 마무리되었다고 볼 수 있으나(유인호, 전게

략 여부 문제[11], 일본의 교과서 내용 문제[12] 등이 그러한 것이다. 혹자는 이러한 문제를 피해자 측에서 계속 운운하는 것이 열등감의 소치라 하지만 이는 가해자 쪽에서 먼저 주류인사들이 물의를 일으키는 것이며, 국제 정치에서 중요한 요소 중의 하나인 정당화와 관계가 있고, 전략적 의도도 내포하고 있는 전술적

서, pp.146-174, 257-264) 북한, 일본은 91년에 있었던 '전후 45년 보상합의문건'이 현재도 일본에서 그 적법성 여부를 놓고 문제를 삼는 등 완결이 되지 않은 상태이다.(한겨레 94.12.1)

11) 일본의 고위관료들이 가끔 돌아가며 20세기 전반의 아시아에서의 잔악행위가 침략행위가 아니고 시혜적 행위였다고 강변하여 물의를 일으킨다. 그러나 이는 "일본 내셔널리즘"이 "언제나 침략주의와 결합하고 있었다."는 것을 밝힌 일본역사학자 山邊健太郎의 「日本の韓國併合」(太平出版社, 1979 개정 제2쇄), pp.10-18(유인호, 전게서, pp.43-46에서 재인용)에 비추어 보면 그 의도를 추정할 수 있다. 또한 이는 마키아벨리가 Discorsi에서 독일인과 프랑스인은 항상 신뢰할 수 없었다고 말하였듯이 〈"Discourses on the first decade of Titus Livius", in A.Gilbert, ed.Machiavell; The Chief Works and Others(Duke Univ. Press, 1965), Vol.1 ch.43 That men born in any region show in all times almost the same natures. pp.521-522〉이 일본인들도 19ht-20th초에 보였던 본성을 그대로 다시 보여주고 있다고 볼 안목이 있다면 마키아벨리에게 Discorsi를 읽은 청년의 의무를 다한 것(상게서, book two의 preface, pp.321-324에서 마키아벨리는 이 책을 쓴 이유 중의 하나가 '자신의 글을 읽는 청년들이 과거를 거울삼아 fortune이 그들에게 주는 opportunity를 활용할 수 있게끔 하려는 것이다'고 밝히고 있다)이 된다.

12) 82년의 교과서 왜곡사건 등도 그 이후로도 계속되고 있어 물의를 일으키는데 비단 한국 관련 내용만이 아니라 중국 관련 내용들도 그러하여 상대국의 강한 항의를 받곤 한다. 이외에도 원폭 피해자 문제 등 여러 문제도 미결의 문제로 현재도 그 해결을 위한 노력이 계속되고 있다. 이에 대해서도 유인호, 상게서, pp.22-29 참조

언술 행위로서 간단히 간과할 수 없는 사고 및 행위 양태로 추정된다.

따라서 정확한 진상 규명과 사태에 대한 체계적 정리 및 정의가, 양자 간의 관계에서나 각각 내부의 공의화 및 동아시아 더 널리는 세계 역사 발전에 일정 정도 기여할 수 있다는 점에서 필요한 작업이 되며, 특히 변화하는 동북아 국제 질서 속에서 선조들이 19세기에 보여주셨던 역사적 과오를 다시 되풀이하지 않고 공평과 정의와 발전을 이루어내는 중추적 국가로 설 수 있는 이론적 토대를 제시하는 것이 되기도 한다.

21세기를 얼마 남기지 않은 근래에도 일본, 중국 모두 동북아 패권 주도를 모색하고 있으며 일본은 오히려 노골적이다. 그러나 공의를 지키는 자는 복이 있다는 말씀이 있다.(시편 106편 3절)

한편의 구한말과 일제시대에도 한용운[13], 안중근, 안창호 선생 같은 우리의 선각자들은 이러한 공의 및 평화를 강조했다. 그런데 근년에 미국에서 한국 자본주의의 기원에 관한 논문[14]이 나왔는데 이는 상당한 논쟁적 요소들을 내포하고 있음에도 아직 이에 관한 소개서나 반론문이 한국에서 제대로 제기되고 있지 않다. 그리고 이 논문은 미국 학계에서 상당한 인정을 받았으며, 그 논지가 일부 한국 경제학계에서조차 인정을 받고 있으며 국제 학계에서는 대체로 정설로 받아들여지고 있는 상황이다.

세계 각국에서 미국을 알리는 활동을 하는 미 문화원의 서울

---

13) 한용운, "조선독립의 書," 한국의 근대사상(삼성출판사, 1989), pp.570-581에서 잘 드러난다.

14) Carter.J. Eckert, 전게서.

사무소 보관 자료인 LIBRARY JOURNAL에 소개된 이 책 내용의 기본 골자는 일제가 한국 발전에 Catalyst Contribution의 역할[15]을 했다는 것이며, 이 두 영자 단어가 그 핵심적 사항을 내포하고 있다. 그러나 이는 여러 가지 측면에서 깊이 따져 봐야 할 문제이며, 한국 측에서는 여러 학자들뿐만 아니라, 심지어 기업가들[16]조차도 반론을 제기하고 일반 국민들의 대 일본

---

15) Library Journal 91.10.15판에 일제가 한국 자본주의 발전의 Catalyst와 contribution에의 역할을 한 것을 Eckert의 상게서가 논의하고 있다고 소개한다. 이는 서울 미문화원에 요청하여 직원 정태용씨로부터 필자가 팩스로 받은 내용이다.

16) 이랜드그룹의 박성수 사장과의 서면 인터뷰에서 '한국 자본주의의 일제 catalyst, contribution에 대해 어떻게 생각하는가'에 대한 답변으로 "한국적 자본주의에 대한 저의 개인적인 의견을 이야기 하자면, 1960년 이전의 문제에 있어서는 거론할 여지가 없습니다. 우리나라는 국민소득 82불에 엄청난 외채를 짊어진 지구상에서 가장 가난한 나라 중 하나였기 때문입니다. 우리나라의 경우 60년 이후 30년간 있었던 경제발전은 60년 이전에 축적된 자본에 의해서가 아니라 오히려 외채에 의해서였고 일본에서 받은 청구권 자금(일제가 한국에 도움을 주었으면 이를 줄 이유가 없다:필자주)과 다른나라에서의 경제원조 그리고 미국에서 교육받은 경제관료들을 잘 활용한 개발독재의 덕이었다고 생각합니다. 그리고 본격적으로 한국 자본주의가 발전하게 된 과정에서 개발독재는 불가피한 것이었다고 생각합니다. 만약 60년 이후 경제가 발전하게 된 원동력이 60년 이전에 형성된 민족자본과 자본가들이었다고 한다면, 동남아시아의 후진국들이 당시 우리보다 더 많은 자본과 자본가들을 가지고 있었음에도 지금 우리나라보다 뒤져 있는 것을 설명할 수 없을 것입니다."고 Eckert의 논지에 반박한다.

또한 한국 최대의 기업인 현대그룹의 명예회장 정주영씨는 자신의 저서, 나의 삶 나의 이상 시련은 있어도 실패는 없다.(현대문화신문사 1991), pp.191-201에서 "한국이 길고 긴 잠에서 깨어나 60년대 이후 비약적인 발전을 이루어 세계의 주목을 받는 위치에 이르렀으며 이 비약적 발전에 〈현대〉가 선도적 역할을 했으며 (이도 공과야 어쨌

정서 및 인식은 이와 정반대에 있다는 점17)에서 재고의 소지가

든 현재 한국의 최대 기업이라는 점에서 인정할 만하다:필자주) 그 원동력은 진취적 기상과 불굴의 개척정신이며, 황무지에 다름없던 한국 공업사회에서 하나하나 새로운 분야를 개척해 왔고(Eckert는 황무지가 아니었다고 주장한다. 일제 때 산업화가 완성되었다는 것) 미국인들의 서부개척처럼 우리 힘만으로 하나하나 개척해 왔고, 처음부터 장사가 아닌 생산업체로 성장하겠다는 본인의 의지와 국내보다는 해외시장에 주력하겠다는 뜻의 성과가 현실로 이루어진 것은 현대 사람들의 개척정신에 힘입은 바가 크고 한국경제는 원칙론적으로 보면 전부 안 될 일뿐이지 될 일은 하나도 없고 자본도 자원도 경제전쟁에 이길 만한 기술 축적도 없었다. 논리적으로나 학문적 계수로는 분명 안 될 일이고 못할 일을 해내고 있는 것이다. 〈Eckert기 얘기하는 일제가 이루어 준 산업화, 기계화가 이 발전의 핵심사항이 아니고(Eckert, 전게서 p.4)〉 우리 국민들이 진취적인 기상과 개척정신, 열정적인 노력을 쏟아부어 이룬 것이다. 바로 정신의 힘이다. 신념은 불굴의 노력을 창조할 수 있다. 진취적인 정신 이것이 기적의 열쇠었다"고 얘기한다.

마키마벨리의 Virtu를 정주영씨도 얘기하는 것이다. 이 점에서도 Eckert는 '인간의 의지'에 대한 이해가 부족하며 막스 베버가 '직업으로서의 정치'에서 논의하는 "In spite of all" 〈Politics as a vocation (From Max Weber; Essays in sociology, Translated, Edited and with an Introduction by H.H Gerth and C.Wright Mills) (Routledge & kegan Paul LTD, sixth Impression 1967) p.128〉의 의미를 이해하고 있지 못한 것이다. 대우그룹의 회장 김우중씨는 자신의 저서, 세계는 넓고 할 일은 많다.(김영사, 1989), p.74에서 "20년 전까지만 해도 우리나라는 아주 가난했고, 국제사회에서 전혀 영향력을 행사할 수 없었다.

__그러나 우리 세대는 열악한 환경을 극복하면서 경제 건설을 서두르고 __"라고 하고 있어 Eckert와는 다른 이야기를 하고 있다. 삼성그룹에서 95.2월 현재 9개월의 교육을 받고 있는 입사한지 20년이 넘는 이사급 임원은 Eckert의 이러한 논지를 듣자 격분을 감추지 못하였다. (두레마을 연수원에 1박2일로 연수를 온 분과 95.2.7 에 인터뷰를 하였다.)

다분한 문제이다. 하지만 상기 저서의 저자가 얘기하듯이 이러한 태도는 민족주의적이며, 사실인 것을 보지 않으려는 편협한 태도[18]라는 비판의 대상이 되기도 한다는 점에서 좀더 냉정하고도 논리적이고 증빙 자료 제시적인 견지로 그에 대한 반론을 전개해야 할 필요성이 절박하다. 그러나 자본주의 발달의 대표적 사례라 볼 수 있는 서구에서 민족주의가 그 발전에 핵심적 기여를 했다는 역사사회학적 연구 결과[19] 로 볼 때 오히려 이

---

17) 학자들은 위에 언급한 분들 외에도 남북의 학자들이 대체로 이러하며, 국민들 정서가 어떠한가는 스포츠에 있어 극명히 드러나며 최근 94 히로시마 아시안게임의 마라톤 경기의 승자인 한국의 황영조 선수가 '시합 전에 평화공원 밖에 안치된 한인 희생자들 위령비에 참배하고 왔고, 경기 도중에는 그 달리는 괴로움을, 일제 때문에 원폭에 희생당한 수많은 넋을 생각하며 이겨냈다'는 인터뷰 기사(한겨레 94.10.10)는 한일관계의 뿌리깊은 앙금을 생각하게 하며, 94.12.11 한겨레 신문의 사설 '한국 바둑의 세계화'라는 글에서도 일본 바둑계를 주도하고 있는 한국의 투혼적인 바둑인들을 소개하며, "우리나라 사람들은 스포츠를 비롯한 모든 경쟁에서 일본을 누르기만 하면 먼저 손뼉부터 친다. 40년 가까이 일제의 잔혹한 식민지배를 받은 쓰라린 경험 때문에 일본에 적대감을 품은 사람들이 '대리전사'가 가져다주는 승리를 통해 위안을 얻는 심리 현상인 것이다"라고 한국인의 대일 정서를 표현해 주고 있다.

18) Eckert, 전게서, pp.1-6 그러나 그는 일본의 nationalism에 대해서는 언급하지 않는다. 그 nationalism이 아시아와 세계에 어떤 참상을 불러왔는지를 세계사는 똑똑히 증언한다. 그리고 전후 독일의 태도와 일본의 태도는 뚜렷한 차이를 보인다. Eckert는 이 점을 중시해야 한다.

19) 이러한 것은 기존의 미국 국제정치학계가 가지는 국제정치이론의 한계를 극복하는 데 도움이 된 것으로 역사사회학적 국제정치이론이 있는데, 자본주의와 민족주의의 관계를 서구의 역사를 통해 보여주는 것으로 Anthony Giddens, The Nation-State and Violence

러한 거의 전 국민적이라 할 수 있는 반일적 민족주의는 그 자체로서도 자본주의 발전 역사에서 나타나는 민족주의의 관련성과도 연관지어 연구해 볼 가치가 있다. 그러나 자본주의 발전의 사례는 실로 다양하다는 점[20]에서 이러한 연구도 심층적 분석

(Berkeley:Univ. of California Press, 1985), pp.122-147가 있으며 p.135에서 Giddens는 어떤 자본주의 사회에서도 국민국가(nation-state)가 되지 않은 곳이 없다고 말하고 있어, 일제의 신민으로서 봉사하기를 원했던 김성수 氏 일가가 이런 의미에서 진정한 자본주의 사회의 기원을 이룬 것이 아니라는 것도 드러난다. 설령 자본주의의 기원을 이루었다해도 일제의 한반도 지역의 자본주의화'의 기수이지 'Korean Capitalism의 기원의 기수'는 아닌 것이다. 그는 Korean Capitalism의 기원의 기수가 아니라 Japanese Capitalism의 한 지류였다. 한편 이러한 근대국가의 자본주의와 민족주의의 관계를 잘 보여주는 국내의 글로는 박상섭, "근대국가체제의 사회학을 위한 시론:근대국가체제에서 국내구조와 국제체제의 유기적 연결성에 관한 연구," 한국정치학회보, 제25집 제11호(1990)가 있다.

20) Giddens는 상게서에서 자신의 연구가 유럽에 한정되며 자본주의 발전 사례는 다양하다고 밝힌다. 그러나 그럼에도 불구하고 전 세계적으로 공통된 것은 Nation-State가 되지 않은 자본주의 사회는 존재하지 않는다고 논의하고 있어 한국 자본주의도 '한국'이라는 국가의 존재여부와 '자본주의'를 따로 떼어 놓을 수 없다는 것을 알 수 있다.
따라서 Eckert가 '한국 자본주의의 기원의 기수'로 삼은 '김성수씨 일가'는 '한국'을 버렸고 이를 재건하려하지 않았다는 점에서 '한국 자본주의 기원의 기수'는 될 수 없다는 것이다. 이러한 점에서 보면 오히려 이들은 한국 자본주의를 영원히 말살시키려한 집단으로 평가하는 것이 옳다. 재주를 곰(한민족을 곰의 민족이라 한다)이 넘었는데 그 공이 'Imperial Citizens'(인촌 김성수씨가 한민족에게 이를 위한 책임을 다해 봉사, 희생하자고 외쳤다)에게 돌아가면 안되는 것이다. 그리고 김씨 일가의 여성 중에 정신대로 간 분이 계신 것인지 또는 일제를 위해 징병에 나가 Righteous Cause를 위해 2차대전에서 한

이 필요하다.

한편 94.8월에 서울대 경제학과 박사학위 논문으로 제출된 주익종씨의 "일제하 평양의 메리야스 공업에 관한 연구"라는 글에서는 이 Eckert의 저서가 높이 평가되고 있다[21]는 점에 주목하지 않을 수 없다. 주익종 씨는 국내 연구자들이 정체론적 시각에서 벗어나지 못했던 1980년대 전반에 Eckert가 다음과 같은 연구를 했다는 점에서 이는 단연 '선구적'이라고 찬사를 보낸다. 주익종 씨는 식민지기의 한국인 자본, 자본가에 관한 기존 연구들은 전통적으로는 조선인 자본을 민족자본과 예속자본의 두 범주로 갈라 전자에만 주목하고 후자는 무시해 버리는 민족자본론이 주장되어왔고, 이 이론에서 민족자본은 일제의 억압 때문에 그 발전에 명백히 한계가 있는 존재로, 그리고 예속자본은 친일의 대가로 성장을 했으나 아무런 민족사적 의의를 갖지 못하는 존재로 설정되었지만 1980년대 중반에 고도성장의 성과가 부각되고 그 뿌리가 민족자본보다는 예속자본 쪽에 있다는 점이 명백해지면서(그러나 오히려 그렇지 않다는 논의들도 많이 있다는 점에서 이렇게 쉽게 단정 지을 수 없다. 이러한 점과 관련해서 이 글에서 간헐적으로 반대 논의가 이루어진다.) 민족자본이라

민족과 아시아인, 세계의 피를 흘리신, 그리고 Dying하신 분이 계신가 하는 것이다. Eckert는 그의 전게서 pp.262-264에서 인촌 김성수씨가 이렇게 하자고 한민족을 향해 외쳤음을 보고문 자료를 게재하여, 그가 얼마나 충실했던 황국신민이었고, 그로 말미암아 일제로부터 도움을 받아 한국 자본주의가 발생하고 발전할 수 있었는지를 보여주려 한다.

21) 주익종, "일제하 평양의 메리야스 공업에 관한 연구", 서울대학교 경제학 박사학위 논문 (94.8, pp.1-10)

는 정치사적 개념이 무의미해졌고, (경제와 정치의 연관성을 이렇게 두부 자르듯이 잘라버리는 것은 심도 있는 연구 태도라 볼 수 없다.[22] 특히 일본과 관련이 되는 문제에서는 더욱 그렇다: 필자주) 따라서 조선인 자본에 관한 새로운 실증 연구가 다수 진행되기 시작하였다고 이야기한다.

그리고 일본인 자본 주도(이것도 논란의 여지가 많다.: 필자 주)로 식민지 공업화가 진행됨과 아울러 조선인 중소 공업이 성장해갔음이 실증되었다고 보며 일제하 전 시기에 걸쳐 조선인 회사나 공장이 그 수나 자본금 규모, 종업원 규모 면에서 일본인 자본에는 다소 못 미치나 그 자체로는 빠르게 성장하였고 또 조선인 자본이 근대적 업종으로 진출해갔음이 입증되었다고 본다. 그리하여 이 연구들을 통해 전체 조선인 자본 동향의 윤곽이 확정되고 그로부터 조선인 자본의 성장이 입증되었으며 그러한 성장은 식민지 자본주의 발전에 조선인이 적극적으로 대응한 결과로서 해석되며 이것은 공장명부, 회사 명부를 가지고 시계열 통계를 작성함으로써 이룩한 획기적 성과였으며, 현재 조선인 자본에 관한 연구에서 새로운 출발점이 되었다고 본다. 그런데 조선인 자본이 근대적 기업가로서의 역량을 어떻게, 얼마나 키워왔는가에 관한 설명으로서는 이 연구들이 충분치 못하며 그 이유는 산업부문별로 조선인 기업의 성장 과정을 구체적으로 밝히는 것이 필요하나 이 연구들은 거기까지 가지 못하고 업체 수, 자본금 규모의 추이 등을 검토하여 전체 조선인 자본의 윤곽만

---

22) 이러한 점을 극복하려고 생겨난 학문이 바로 정치경제학이다. 특히 국제관계에 있어서 이러한 연구를 하는 것이 국제 정치경제학이 되는 것이다.

을 밝혔기 때문이며 따라서 이제는 이 연구 성과들을 토대로 한 다음에 더 나아가 하나의 산업부문, 하나의 공업부문, 혹은 하나의 기업을 대상으로 하여, 조선인 자본의 출현 및 성장을 究明하는 것이 필요하며, 이러한 요청에 부응하는 것으로 경성방직에 관한 Eckert의 연구가 있다고 소개하고 있다. 그리고 이 Eckert의 연구는 경방의 경영분석을 통하여 경방이 단순한 방직회사에서 출발하여 방적방직 兼營의 통합된 사업체로 성장하였으며, 하나의 근대적 대공장을 건설. 운영하고자 할 때 따르는 온갖 어려운 문제들(예컨대, 자본의 조달, 원료. 설비. 기술의 확보, 시장개척, 노무관리, 대자본과의 경쟁, 정부 당국과의 교섭 등)을 성공적으로 해결해갔음을 보였고 이 경방의 사례가 식민지 환경하에서 한국 자본주의가 도달한 '놀랍도록 복잡하고 정교한 형태'였으며, 그 경영진의 성장이 곧 한국에 있어서의 자본가 계급의 출현이라고 Eckert가 결론지었다고 소개하고 있다.

그리고 이는 하나의 근대공업을 사례로 하여, 그것이 조선인의 손으로 성공적으로 이식되는 과정과 그것이 가능했던 비결을 밝히고 그를 통해 그 경영진의 기업가적 역량의 성장을 구체적으로 보였다는 점에서, 조선인 자본에 관한 연구의 수준을 한 차원 높인 것이었으나 이 연구가 소재로 삼은 경성방직의 경우, 그것이 조선 사회 최상층의 거대 지주 자본을 배경으로 하여 처음부터 대자본으로 출발하였으며 또 일제 당국이나 일본의 대자본으로부터 많은 특혜와 지원을 받았다는 점이 특징적이어서 조선인 자본의 성장을 하나의 일반적인 경향으로 위치지우기 위해서는, 이보다 불리한 조건하에서도 조선인 자본이 근대 공업을 성공적으로 이식 발전시켜 갔던 것을 보일 필요가 있다고 주익종 씨는 얘기한다.

예컨대 조선 사회의 저변에서 보잘 것 없는 상태로서 출발하고 일제 당국이나 일본인 자본 등으로부터 별다른 지원을 받지 못한 경우에도, 조선인 자본이 근대 공업을 성공적으로 이식 발전시켜 갔던 것을 보일 필요가 있으며 이를 위해 자신은 조선인에 의한 근대 공업의 성공적인 도입, 건설의 경험으로서 중요한 의미를 갖는 일제하 메리야스 공업과 고무공업 중에서, 고무공업이 경성, 부산, 평양의 세 지역에서 발달하고 또 상당 부분 일본인도 진출해 있었던 반면, 메리야스 공업은 평양이라는 한 지역에서 집중적으로 발달하고 또 전적으로 조선인만이 담당하고 있었다는 점에서 평양 메리야스 공업이 더 좋은 소재가 된다고 보았다. 그리고 주익종 씨 자신의 연구는, 한국이 공업화 과정에서 후발성의 이익을 향유할 수 있었던 것은 그 흡수 능력의 하나로서 역량있는 민간 기업가들이 공업화 이전에 이미 형성되어 있었기 때문이라는 문제의식에서 출발하여 일제하 평양 메리야스 공업의 전개 과정에 관한 연구를 통하여 한국에서 근대적 기업가가 어떻게 출현하고 구명하기 위함이라고 밝힌다.

그런데 Eckert의 저서에 관한 짧지만 거의 유일하다시피 한 이 소개 글이 여러 문제점을 갖고 있다는 사실을 발견하게 된다. 먼저 경방이 근대적 대공장을 건설, 운영하고자 할 때 따르는 온갖 어려운 문제들을 성공적으로 해결해갔음을 Eckert가 보여주고 있다고 하였으나, 최근의 많은 연구에서 드러난 '자본주의와 민족주의의 밀착 관계'로 볼 때 그 구체적 사례를 엄밀히 분석해 보지 않고는 쉽사리 판단할 수 없는 문제가 된다. 특히 여기에서 문제가 되는 것이 당시의 정치적 상황, 무엇보다도 당시가 국권 상실의 기간이었고, 그 회복은 거의 불가능해 보이는 시기였다는 것이다.

따라서 그 회복을 위한 노력은 목숨을 요구하는 일을 빈번히 발생시키는 상황이었으며 이러한 상황에도 불구하고 누가 그러한 국권의 회복을 위하여 투신하였는가는 절대적으로 중요한 문제가 되며 아무리 우리의 독립이 외세에 의해 이루어진 점이 크다 하여도 이러한 주체적 노력과 거기에 정반대적인 매국적 행태는 이 나라의 역사에 지울 수 없는 결과와 각인을 남긴 것이 분명하다는 점에서 반드시 구별되어져야 한다.

그리하여 자본주의의 본 고장 유럽의 국가 프랑스에서는 오늘날, 2차대전 당시의 나치 부역자에 대한 색출과 처벌을 계속하고 있는 것이다. 그러나 우리의 현실은 이와는 거리가 멀다. 따라서 그러한 정치적 상황을 배제한 경제적 고려만으로 한 기업의 행태를 평가한다는 것은 한 기업의 발전사는 되어질 수 있어도 한 국가, 그것도 당시 망국이었던 한국의 자본주의사를 규명하는 방법으로서는 미흡한 점이 다분하다.

특히 주익종 씨의 Eckert의 글에 대한 소개 중 김성수 씨 일가의 이 기업이 조선 사회의 거대 지주 자본을 배경으로 하여 처음부터 대자본으로 출발하였으며 또 일제 당국이나 일본의 대자본으로부터 많은 특혜와 지원을 받았다는 것이 특징적이라고 논의하고 있는데 여기에 경방이 문제되는 핵심적 내용 두 가지가 존재하는 것인데도 이를 기정사실화하여 초기의 대자본 출발과 일제의 '특혜, 지원'의 본질을 고찰해 보지 않고서 그 경영성공만을 논한다는 것은 '나를 위해서 어떤 목표, 수단이라도 쓸 수 있다.'는 것을 합리화 해주는 결과를 가져올 뿐이며 막스 베버가 이야기하는 천민자본주의의 수준이며 진정한 자본주의라고는 볼 수 없게 되는 것이다.

이는 "국가를 위해서라면..." 23)하는 국가 이성 사상24)과는 천양지차의 태도가 된다. 오히려 그들이 함께 한 일제가 이 국가 이성 사상의 충실한 실천자로 경방을 충분히 이용했던 것이다. 그러나 그들이 도와 준 일제마저도 헤겔식으로 본다면 전 인류의 발전에 기여하지 못했고 인류의 적극적인 조성자가 되어지지 못했다는 점에서 세계사적 민족일 수 없으며 세계정신의 현현25)이라 볼 수 없는 것이다.

한편 Eckert는 이 대자본에 대하여 초기부터 이들이 이를 보유하고 있었다고 보지 않고 이 축적과 그 후의 성공을 이루기 위해서는 결코 적지 않은 무자비함(not a little ruthlessness)이 요구되어졌다는 간접적 비난의 평가를 내리고 있다. 따라서 근대적 기업가에 관한 정의를 다음과 같이 내린다는 것은 앞뒤가 맞지 않는 논리이다.

주익종 씨는 근대적 기업가란 나름의 기업가 정신, 경영 이념

---

23) Machiavelli, "Discourses on the first decade of Titus Livius", in A.Gilbert, ed.Machiavell; The Chief Works and Others(Duke Univ. Press, 1965), Vol.1 ch.43 That men born in any region show in all times almost the same natures. p.519

24) 이러한 것에 대해서는 게오르그 G.이거스, 독일 역사주의, 최호근(역), (박문각, 1992) 및 프리드리히 마이네케, 국가권력의 이념사, 이광주(역), (민음사, 1990) 등에서 그 변천 과정을 잘 보여주고 있다.

25) 헤겔, 역사 철학 강의, 김종호(역), (삼성출판사, 1989) p.23 또는 p.131

을 가진 존재이기도 하며 기업가 정신이란 기업가 개인의 사업 활동을 이끌어 감으로써 결국 경제 사회의 발전을 선도하는 이념이요, 가치체계라 할 수 있는데, 기업가가 속한 사회의 상황에 각기 독특한 기업가 정신이 형성되었고 근대 서유럽의 프로테스탄트 윤리, 일본의 국가주의 등은 그 대표적 예이며 따라서 근대적 기업가의 자질에는 이 기업가 정신도 그 한 요소로 포함시켜야 할 것이어서 결국 근대적 기업가의 자질이란 기업가 정신, 시장기회의 포착 능력, 생산의 조직 능력이라는 세 가지 요소를 가리킨다고 정리할 수 있다고 이야기한다.

그런데 여기에서 문제되는 것이 바로 Eckert가 표본으로 삼은 기업가인 김성수씨 일가에 대해서 단순히 시장기회의 포착능력, 생산의 조직 능력이라는 두 요소만을 가지고 본다면 이들의 초기 자본 축적 과정과 이후의 산업화 과정에서의 '금전욕'적이고 반민족적인 행위 양태를 기업가 정신의 어느 항목에 넣을 것인가 하는 점이다.

이 점은 Eckert도 인정하고 있는 점이다. 그는 초기 자본 축적 과정에서의 이 일가의 행위에 대해 착취 방법 등을 자세히 소개함으로써 그들을 간접적으로 비판하는 방법을 사용하고 있으며, 산업화 과정에서의 반민족적 행위에 대해서는 국내에서는 존경을 잃고 외부에서 힘을 얻었다고 총평함으로써 경제 발전에 대한 기여는 논외로 하고서도 한반도의 사회 발전에 대해서는 그들이 선도적 역할을 하지 못했음을 보여 주어, 그들의 기업가 정신에 대한 부정적 평가를 대신하고 있다. 그리고 이들이 이후 전두환 군사 정권에 이르기까지 계속적으로 정권에 밀착하여 그 시대가 어느 시대인가를 가리지 않고 안위를 누렸다고 결론부에서 보고하고 있다.

성경엔 이런 구절이 있다. “의인에겐 고난이 많다.” 이 땅의 역사를 보아도 이 구절이 진실임은 드러난다. 그리고 “악인의 형통함 자체가 죄이다.”라는 구절도 있다.

따라서 주익종 씨는 한국의 고도 성장의 원인에 대한 두 갈래의 연구 중 한국 경제론이나 경제 발전론 분야의 연구들이 한국과 대만 등 신흥 공업국의 성공적인 공업화를 후발성의 이익의 내부화, 학습에 의한 공업화로 규정하면서도 후발성의 이익을 누릴 수 있는 주체적 역량에 관해서는, 혹은 학습할 수 있는 능력에 관해서는 그다지 관심을 기울이지 않고 있다고 본다.

반면, 역사학 분야의 연구들은 한국의 고도성장을 후발성의 이익과 그것의 흡수 능력의 문제로 인식하고, 이 흡수 능력이 역사적으로 배양되어왔다는 점에 관심을 기울이고 있는데, 즉 지식, 기술, 자본을 선진제국으로부터 도입하여 이용함으로써 경제 성장에 시간적 요소가 문제되지 않았다는 것이 고도 성장의 비결이지 하지만, 또한 선진국의 지식, 기술, 자본을 이용하여 단기간에 공업화를 이룩할 수 있는 역량이 내부적으로 축적되어 왔다는 점도 중요하다고 보고 있다고 소개하며 그 대표적 글로써 안병직 교수의 “한국 경제 발전의 제조건”을[26]들고 있는데, 이 연구는 흡수 능력의 한 지표로서 전통시대에 있어 한국 소농 경영의 높은 발전도, 그 자립성을 들고 있는 바 전통시대의 한국 소농이 자립적 경영 단계에 도달해 있었기 때문에 비로소 수입과 지출을 따지는 경영이 성립할 수 있었고, 그러한 능력을 갖춘 한국의 소농들은 개항 후 급속한 상품 경제화 속에서 나름

26) 안병직, “한국 경제 발전의 제조건” 창작과 비평(겨울호, 1993)

의 대응을 할 수 있었다고 논의한다고 소개한다.

그러나 Eckert는 그 저서의 처음 부분에서 남북한의 학자들을 비판하면서 이러한 일종의 맹아론을 비난하고 있다. 그리고 그 논지의 핵심이란 일제와 그리고 일제에 협력한 기업인들이 없이는 한국 자본주의의 토대는 마련될 수 없었다는 것이다. 그리고 이후 경제 발전도 박정희 정권에 의해 일본과 재연계되면서 가능하게 되어졌다는 것이다. 그런데 주익종 씨는 한국의 경우 국가의 역할이 컸던 만큼 기업가의 역할은 부차적이었다는 Amsden의 논의에 대해 그 '유능함'에 관해서 몇 가지의 신화를 갖고 있는 한국의 기업가들의 중요성을 무시하는 것은 온당치 못하다(예컨대 조선소를 건설할 계획서만으로 선박 건조의 수주를 하고 그를 담보로 자금을 빌려 조선소를 건설했다는 현대의 조선소 건설 신화, 그리고 세계은행 등이 비관 판정을 내린 종합일관제철 사업을 성공시킨 포철의 신화들을 예로 든다.)는 논의를 펴고 있어 근본적으로 한국 경제의 원인에 대한 시각이 Eckert와 다르다.

Eckert가 외세 의존적 매판적 자본가 및 일제, 일본의 한국자본주의 발전에의 기여를 얘기했다면 주익종 씨는 일제 저항적인 한국 기업가의 주체적 발전 역량을 통해 한국 자본주의의 발전에 접근해가려 했다고 볼 수 있는 것이다. 따라서 주익종 씨의 Eckert에 대한 평가는 자가당착적인 점이 있었던 것이다,

특히 주익종 씨는 자신의 연구가 조선인의 주체적 경영의 측면을 중시하여, 평양 메리야스 공업의 발전이 제반 경영 환경에 대한 메리야스 공업자 측의 대응 활동의 산물이었다고 보고 그 연구의 말미 부분[27]에서는 일제 말로 가면서 더욱 더 평양의

메리야스 공업이 일제의 강력한 통제 속에서도 일본 자본가들에 대항하여 자생적 노력을 하면서 비록 일제말의 극심한 물자난 속에서 겨우 유지해가는 정도이기는 했으나 평양 메리야스 업체들은 끝까지 존속하였다고 마무리하고 있다. 하지만 이와는 반대로 Eckert에 의해, 김성수 씨 일가가 일제 말로 갈수록 그리고 해방이 되어질 때까지 더욱 일제에 밀착하여 그 지원과 혜택을 받으며 성장하고 일제의 만주 침략 등에도 지원하는 등의 활동과 이 전쟁에의 참여를 선동하는 선전 요원의 일을 담당하고 있는 활동 등이 묘사되어지고 있어 평양 메리야스 업체들과는 정반대의 모습을 보여준다는 것이다.

또한 평양 메리야스 공업자들이 8.15 해방 후 분단의 피해를 입게 되어 이후 남한에만 있는 면사 공급 업체로부터 면사 공급이 중단되면서 대개의 업자가 조업을 중단하거나 타 업종으로 전환하며 일부 공장주는 정치적인 문제에 연유하여 월남하지만 이들 중 남한에서 이 업을 계속하는 이들은 모두 사라지게 되며, 이로써 평양 메리야스 공업은 일단 최후를 맞고 이후에는 평양 출신의 다른 월남자들이 새로 메리야스 공업에 투신하여 성공을 거두는데 그 대표적 인물이 1937년 동우회 사건으로 옥고를 치룬 평양의 유력 지식인 김항복이었으며 그는 평양 숭인상업학교 교장을 하다가 옥고 후 재생고무 공장과 피복업체를 경영한 바 있는 인물이었다고 한다. 이렇게 주익종 씨가 표본을 삼은 이 공업 업체들에도 한국 정치사의 중요장인 일제 강점기와 분단과 전쟁의 피해가 있었는데도 최근에는 '민족자본의 정치사적 개념'이 무의미해졌다고, 경제에 미치는 정치의 의미를

27) 주익종, 전게서,pp.224-238

무시해 버리는 기본 가정은, 사려 깊지 못한 연구 방식으로 간주된다.

Eckert는 그 결론[28]에서 일제의 도움은 언급하나 그 피해와 분단의 피해는 언급하지 않으며 오히려 이후의 산업 발전이 주체적 국민에 의해 이루어졌다기보다는 박정희 정권의 일본 연계 전략에 의해 결정적 힘을 얻게 되었다고 함으로써 주체적 역량을 과소평가하고, 일제와 일본 기여의 한국 자본주의라는 결론을 내리게 된다. 이러한 점에서는 다시 평양 메리야스 업체의 주체적 역량과 더 근본적으로는 한국민의 주체적 역량을 강조하려는 주익종 씨와 이를 부인하고 다른 데서 한국 자본주의의 기원과 발전의 원인을 찾으려는 Eckert는 의견을 달리하는 것이다.

따라서 한국 자본주의의 기원과 발전 규명에 있어서는 단순히 하나의 기업을 대상으로 하여 조선인 자본의 출현 및 성장을 구명하는 것 외에도 정치와 경제를 분리된 것으로 보지 않는 정치 경제학적 시각과 국제 정치를 시공에서 바라보는 역사 사회학적 시각. 그 외에 자본주의 정신에 대한 분석까지를 포함한 총괄적 안목과 접근 방법이 요청된다 하겠다.

또 한편 주익종 씨는, 식민지하에서는 당연한 일일 수밖에 없는 제국주의에의 의존을 기준으로 조선인 자본가의 민족적 태도 여하 즉 조선인 자본가가 애국적이었느냐 아니냐에만 관심이 쏟아지게 되어 그 결과 조선인 자본이 하나의 근대 공업을 성공적으로 건설한 사실이 경시되고, 결국 조선인 자본에 관한 객관적 고찰이 불가능하다는 안병직교수의 논지를 자신의 입장에 대변

28) Eckert, 전게서, pp.253-259

시키고 있는데 이는 주익종 씨가 평양의 메리야스 공업 성장의 요인으로써 평양의 특수한 상황, 즉 지역차별 속에서 양반세력이 약화되었고 토지의 척박으로 남부 지방과는 달리 빈부 격차가 적었으며, 개항과정에서 일찍이 서구 문물과 그 침략성을 접하고 기독교의 전래로 보편적 세계관이 심화되었고, 민족주의 의식이 강화되었으며, 여기에 기독교가 상당한 역할을 하게 되고 안창호의 신민회의 본산으로서 각종 구국 활동과 이와 연계된 교육, 산업 활동이 왕성히 전개되었으며 안창호의 영향을 받은 남강 이승훈이 合資論으로 일본 자본에 대항 경쟁하는 이론적 기반을 마련하고 산업성의 실력을 기르는 활동을 활기차게 전개하여 그 영향을 깊이 받은 지역이었다고 논의하는 점과는 일관성이 없어 보인다. 그리하여 주체적 역량을 강조하려는 논문이 오히려 그 포괄적 이론 구성에서는 이를 부정하는 결론으로 사용되어지고 있다.

논의와 이론에 있어 기반 가치 체계의 일관성은 연구의 수준에 있어 가장 중요한 문제가 된다는 점에서 이러한 점은 문제가 되며 이러한 비일관성은 Eckert에게서도 핵심적으로 발견되어지는 양상이다. 따라서 이 글에서는 한국 자본주의를 바라 보는 관점의 일관성을 유지하기 위해 자본주의의 정의와 한국 자본주의의 기원 및 발전이 가지는 이론적 연계 함의를 고찰해 보겠으며 그 논의 전개 과정이란, 중심적으로는 Eckert의 논지를 비판하는 것이며, 그 방법으로는 먼저 그가 저서의 첫 부분에 논의한 자본주의에 대한 정의의 비일관성을 비판하는 것이며 여기에는 마르크스의 자본주의관[29], 베버의 그것[30], 톨스타인 베블렌

29) K.Marx, 자본론, 김수행(역), (비봉출판사, 1993)이 주로 근거로 사

의 그것, 그리고 기든스[31]를 비롯한 역사 사회학자 및 비판 국제정치 이론가들의 그것이 준거 틀로 이용되어질 것이다.

이러한 과정에 동시적으로 Eckert가 증빙 자료로 사용한 사실, 자료 및 정치 경제학적, 역사 사회학적 사실, 자료, 이론들이 이용되어지겠으며, 이러한 비판 과정을 거치면서 간접적으로 한국 자본주의의 기원을 규명한 준거 틀을 설정하여 근대 국민국가로 변화하여 가는 과정 속에서 주체적으로 노력한 세력을 통해 그 기원을 천착하여 보며, 이러한 논의를 바탕으로 그 기원 및 발전의 원인에 대한 개괄적 수준의 정리를 하는 것으로 결론을 내리고, Eckert식의 문제 해결 이론이 가지는 보수적인 결과를 지적해내고, 대안적 질서를 마련하기 위한 안내자 역할[32]을 하고자 한다.

그리함으로써, 주어진 질서에서 안락함을 누리는 특정 국가나 그 분파의 혹은 계급의 이익을 대변하는 그 논리를 넘어 그나마 한국 자본주의가 이만큼 발전하기까지 과연 누가 얼마나 고통을 받았고, 누구에게 그 공과 열매를 돌려주어야 하며, 일한 자와 누리는 자가 다른 현실이 왜 일어났으며, 어떻게 이것을 공의로운 상태로 이끌어 일한 자가 일한 만큼 그 몫을 누리고 진정

용 되어진다.

30) M.Wber, 사회 경제사, 조기준(역), (삼성출판사, 1989) 및 프로테스탄티즘의 윤리와 자본주의 정신, 박성수(역), (문예출판사, 1994)가 이용되었다.

31) Anthony Giddens, 전게서에서 그 개념이 찾아진다.

32) Robert W.Cox, Social Forces, State and World Order; Beyond International Relation Theory, in R.B.J.Walker(eds.) "Culture, Ideolgy and World Order", pp.258-270

필요한 자도 누리게 하는 비전 있는 사회를 만들 것인가에 관한 고민의 일보를 내딛고자 한다.

죽어가는 고목과도 같이 위에서부터 썩어버린, 자타가 공인하는 총체적 부실(인촌 김성수 씨가 창간한 동아일보는 성수대교 붕괴 사건 이후 '원점에서 새 출발을'이라는 제목의 사설을 통해 우리 사회가 총체적 부실이며 그동안 공들여 이룩한 성취도 결국은 모래 위의 누각임이 드러났다고 평가한다.[33])을 어떻게 해체하고 아직은 그루터기[34])로 남아 있는 일부 건전한, 겨자씨 한 알[35])과도 같은 잔존 세력을 통해 새싹을 피워 땅(국민)에서부터 힘을 받아 커다란 나무가 되어 각종 새(전 세계의 필요 민족)가 깃들 수 있게 할 것인가를 모색해 보는 글이 되고자 하는 것이 이 책의 목표다.

---

33) 동아일보, 1994.10.25. 사설,'원점에서 새출발을'

34) 개역성경, 이사야서, 6장 13절. 그 중에 십분의 일이 오히려 남아 있을지라도 이것도 황폐하게 될 것이나 밤나무, 상수리나무가 베임을 당하여도 그 그루터기는 남아 있는 것 같이 거룩한 씨가 이 땅의 그루터기니라.

35) 개역성경, 마태복음, 13장 31-32절. 또 비유를 베풀어 가라사대 천국은 마치 사람이 자기 밭에 갖다 심은 겨자씨 한 알 같으니 이는 모든 씨보다 작은 것이로되 자란 후에는 나물보다 커서 나무가 되매 공중의 새들이 와서 그 가지에 깃들이느니라.

Ⅱ. 자본주의의 정의와 한국 자본주의의 기원

Eckert의 문제 저서의 Preface 다음, 글의 첫 부분 Part Ⅰ의 제목이 The Rise of Korean Capitalism이다. 이것에 관해 논의하기 위해 그는 서론격으로 Capitalism에 대한 정의를 먼저 내린 후 Chapter1으로 들어가고 있다. 그러면 여기에서는 먼저 그가 어떤 식으로 자본주의에 대해 정의를 내리는지 살펴보도록 하겠다. 그의 자본주의 정의는 이후 이 책에서 여러 자료를 동원하고 자신의 논지를 증명하는 데 핵심적인 요소로 사용되고 있음으로서 이 책의 내용 중에서 가장 중요한 부분이라 할 수 있다.

특히 자본주의에 대한 개념 정의가 서로 다양하고 시대와 장소에 따라 변화가 심하다는 점에 있어서 한 특정 지역의 특정 시기에 관한 자본주의사를 탐구한다는 것은 먼저 그에 상응한 자본주의에 관한 면밀한 정의가 요구된다는 점에서도 더욱 그리하다. 量이 항상 중요한 것은 아니지만 '量 속에 質이다' 라는 것이 어떤 것을 의미하는가를 안다면 참고문헌과 주석 등을 제외한 이 책의 총 페이지가 264쪽이며 이중 처음 1쪽에서 6쪽까지 총 6쪽을 이 정의 부분에 할애[36]하고 있는데 그 할애의 내용 중에서도 상당 부분은 자본주의에 관한 정의 자체보다는 이와 관련한 한국 학자들에 대한 비난적 언사라는 점에서 이미 문제시되는 출발을 보인다고 생각할 수 있다. 그러나 '외모로 내

36) 그러나 이 6쪽도 定意와 더불어 'Unarticulated'라는 형용사가 붙는 남과 북의 학자들에 대한 비판 준거가 되는 大家를 편견적으로 원용함을 통한, 비난적 언사가 상당 부분을 차지한다.

면을 쉽사리 판단하는 것'은 茶山의 생각[37]에서 보나 성경[38]에서 보나 지혜롭지 못한 것이므로 이제 그 실상에 대한 면밀한 분석이 요청된다. 그리고 이를 통한 발전적 비판과 교정과 선도가 필요한 것이다. 그런데 그의 이 서론에서 문제가 되는 심각한 요소가 또 하나 존재하는데, 서구인의 Orientalism이 갖는 면모를 보여주는 것으로서 Capitalism에 대한 정의는 시도하였어도 그 앞의 Korean에 대한 정의를 내리거나, 이를 심각히 고려해보지 않았다는 점이다. 즉 Capitalism이되 누구의 Capitalism인가 하는 것이 문제가 된다고 볼 때 Korean이 누구이며 그 주체가 누구인가에 대해, 그리고 이것이

---

37) 茶山은 상론에서 "백성이 相을 믿으면 그 직업을 잃고 관리가 相을 믿으면 그 벗을 잃으며 제왕이 相을 믿으면 그 신하를 잃는다. 공자가 말하기를 '용모로써 사람을 취하면 子(공자의 제자)를 잃을 것이다'라고 하였는데 공자야말로 성인답다고 하겠다"고 말함으로써 외모보다는 내면을 중시하며 실질을 숭상하고 외모에 구애받지 않고 태도로 대인관계를 맺으며 상호 발전적 관계를 도모할 것을 요청한다. 〈정약용, "상론", 여유당전서:역사학회편, 실학연구입문(일조각 1994)〉 pp.330-332 수록

38) 성경에도 사무엘 上 16장 1-13절에 보면 이스라엘의 2대 왕을 선출하는 장면에서(B.C 1025년경) 당시 최고 지도자인 사무엘마저도 용모와 신장을 보고서 여러 차례 다른 사람을 왕으로 지목하는 실수를 범하는데 이 때 여호와께서 "나의 보는 것은 사람과 같지 아니하니 사람은 외모를 보거니와 나 여호와는 중심을 보느니라"고 말씀하셨다고 기록되어 있다. 이렇게 볼 때 이 글의 Eckert에 대한 자세, 그 글에 대한 접근이 어떻게 이루어져야 하는가는 자명하며 또한 Eckert도 그 글에서 '한국 자본주의'의 외모(산업화,기계화)가 아닌 중심(민족의 의지, 민족주의)에 더욱 역점을 두었어야 했다. 따라서 베버가 '프로테스탄티즘의 윤리'에서 '자본주의 정신'을 찾은 것은 중심을 보는 지혜가 있었다는 것을 보여 준다고 하겠다.

Nation-state와 관련한 Nation을 지칭한다면 Colonialism의 Korean Capitalism에의 Catalyst[39], Contribution[40]이라는 단어를 쉽게 사용하는 데 주저했을 것이며, 同國의 대통령이 외친 '민족 자결주의'를 Korean이 어떻게 오해하고 기대적 반응[41]을 했는가를 同病相憐 할 수 있는 추체험의 소유자였다면,

39) Eckert, 전게서, p.6 "Imperialism was the catalyst of change" 라고 적고 있다.

40) 상게서, p.5에 "colonial contribution to korean socioeconomic"이라 적고 있다.

41) 1918년 1월8일 미국의 윌슨 대통령이 연두교서에서 밝힌 유명한 14개항(Fourteen Points)의 평화교섭 조건이 있었는데 제5항이 '식민지 요구의 공평한 조정:식민지의 주권을 결정하는 데 있어서 그 주민의 이익과 수립하게 될 정부의 공평한 주장이 동등하게 고려되어야 한다는 원칙 하에서 모든 식민지 요구를 공평하게 조정한다'이며, 제12항에는 '그 밖의 민족들은 생명의 확실한 보장, 자치적인 발전의 절대 안정된 기회 등이 보장되어야 한다'가 있으며, 제14항에서는 '국제연맹의 창설: 대소 모든 국가의 정치 독립과 영토 보전을 상호 보장하기 위하여 특별한 협약에 의하여 국가 간의 일반적인 연합을 구성한다'고 되어 있어 14개 항의 주요 골자(민족자결, 비밀외교의 타파와 공해 자유의 강조, 법에 의한 지배)중 민족 자결주의 원칙을 드러내주고 있다. 그런데 이런 윤리적이고 일반적인 정치 원칙이 유럽 정치 현실에 적용되는 데에는 이미 유럽 열강들이 이 기준과는 어긋나는 수많은 약속들을 미리하고 있었기에 난맥상이 예고되고 있었다. 〈김용구, 세계외교사 하(서울대출판부, 1990) pp.529-531 참조〉
 한편 이러한 상황은 특히 제1차 세계대전 종전을 전후하여 패전국의 식민지 약소민족들의 입장 강화와 승전국(영국, 프랑스, 미국, 일본)의 지배하에 있던 식민지, 반식민지 약소민족들의 위축화와 입장 약화의 국제정치적 문제가 있었으며〔신용하, 3.1 독립운동(독립기념과 한국독립운동사 연구소 p.209)〕, 특히 한반도를 식민지로 갖고 있던 일본이 전쟁 중의 합의에 대한 실천을 요구하고 나서게 되자 이 요구가 윌슨의 원칙과 배치됨에도 불구하고 이들이 이탈리아에 이어 강화회

담에 자신들도 참여하지 않겠다고 협박함에 따라 독일, 소련에의 연결을 우려하여 그 요구를 수용하면서 윌슨은 '나는 나의 원칙들을 위반하였다고 비난받게 될 것을 알고 있다. 그러나 나는 무정부와 구군국주의의 부활에 대항하여 세계질서와 세계조직을 위하여 일하지 않을 수 없었다'는 설득력 없는 변명을 하게 되고 결국 중국은 평화조약의 서명을 거부한다.〈김용구, 전게서 p.549〉

그러나 윌슨의 원칙은 이렇게 국제 정치에서만 난항을 겪은 것이 아니며 미국 국내적으로도 고립주의자들에 의해 배척을 받았다.〔이주영, 미국사, 증보판(대한교과서 주식회사, 1992) pp.248-250 〕

이외에도 '윌슨의 원칙'과 관련 문제에 대한 참고 자료로는 RENE ALNE ALBRECH-CARRIE, A Diplomatic History of Europe Since the Longress of Vienna(Revised Edition), (Harper & Row Publshers, New York:United Publishing & Promotion Co., LTD, 1973), pp.334-371 및 백경남, 국제관계사:근대 국제사회 형성부터 현대 국제체계 역학까지(범지사, 1990), pp.119-163이 있다.

이러한 국제정치의 장 속에서, 중국 상해에서 1918년 8월 20일경에 여운형, 장덕수 등 한국인 청년 독립운동가들로 중심이 조직된 신한청년단은 11월11일 종전이 되자, 미국의 특사로 중국에 파견된 Charls R.Crane의 상해 환영 집회에 참석하여 파리 평화회의에의 한국 민족대표의 참석을 요청하고 11월 28일 대표 여운형의 이름으로 작성된 '한국 독립에 관한 진정서' 2통을 파리 평화회의의 의장과 윌슨에게 전달해주도록 의뢰하였다. 그리고 국내에서는 1919년 1월 18일 파리 평화회의가 열리자 신한 청년당의 밀사와 동경에서의 유학생들의 '2.8 독립선언서' 준비 소식 밀사 등과 연락이 된 후, 이들에 큰 자극을 받고 독립 운동을 일으킬 것을 적극 추진한다.〈신용하, 전게서, pp.25-68〉

3.1운동을 태동시키고 처음에 기획하여 하나의 대규모 독립 운동으로 합류케 한 독립 운동세력에는 7개 세력의 흐름이 있었는데,(신한청년단, 만주 노령의 독립운동, 미주의 독립운동, 재일유학생의 독립운동, 천교도, 기독교 학생단) 재일유학생 등은 원래 윌슨의 민족 자결주의 원칙의 승전국 식민지에의 비적용을 잘 알고 있었으나 파리

평화회의에의 한국 대표단 파견 및 뉴욕의 약소 민족 동맹회의 참가 한국 대표들에 관한 소식에 자극되어 '2.8 독립선언'으로 3.1운동의 전초장을 열어준다.(상게서)

그러나 이 운동이 국제 정치의 권력 중심성과 군사 중심성 등을 간과한 채 비폭력적 방법으로 나감으로써(상게서 pp.69-217) 일정한 한계를 가진다. 그러나 그럼에도 불구하고 민족사적, 세계사적 의의를 뚜렷이 지닌다. 그리고 이 운동 과정에 한민족의 비폭력적 시위에 정면 반대적으로, 일제는 엄청난 무력 탄압으로 많은 희생자를 배출한다.(상게서 pp.189-202) 이 후 한국의 독립운동은 국제정치의 속성을 알게 되고 더욱 군사 중심성을 띠게 된다.(상게서 p.206 및 박영서, 만주 노령지역의 독립운동(독립 기념관 한국 독립운동사 연구소, 1989) pp.49-184 이외에도 다수의 관련서가 있다.〉

이 3.1운동의 민족사적인 의의로는 식민지 무단통치와 한국민족 말살 정책이 근본적으로 붕괴한 것〈이 때 인촌 김성수씨 일가는 어떤 반민족적인 행위를 하고 있었는가를 Eckert는 분명히 보여준다.(Eckert, 전게서, p.26) 그리고 이들은 이후 오히려 Eckert가 보기에는, 산업 브르좌가 되어 일제와 결탁하여 성장에 성장을 거듭하는 호황을 누린다(상게서, p.209)〉 및 한국민족 내부의 독립 역량이 비약적으로 증강되고 그 후의 독립 운동의 확고한 원동력이 형성 공급 강화됨으로써, 장기적으로 독립 쟁취를 한국 민족 스스로 민족 내부에서 튼튼히 보장하게 되었고,(김씨 일가는 황국의 신민으로 영원하길 원했다) 3.1운동 준비기간에 '임시정부'가 탄생한 것이며 대한민국 임시정부는 '입헌공화정체'로 수립되어 한민족의 공화국의 시민(Nation)으로의 전환을 이루어내게 되었다. 그리고 이들 'nation'이 국민으로서 그 '임시정부'의 통치를 위해 독립자금(자발적 조세에 준한다.)을 댐으로써 또 친히 몸으로써 '군사적 의무'등을 다함으로써 '근대국가'(주권상실의 회복이 세계적으로 인정되지 않았다는 점에서 문제가 되나 민족 의지로서는 완결되었다.)의 맹아를 이루는 계기가 되었다. 그러나 김성수씨는 1942년에 만주국의 명예 총영사로 일제에 충성을 다하며,(상게서, p.180에 만주국 건립 10주년 기념 오찬 회의 host역할을 하는 장면의 사진이 게재되어 있다) 경방회사의 공식회의에서는 일본어만 쓰며, 회사 내에 노동자를 위한 일본어 교실을 마련하는 등

역사를 통해 볼 때 독일인과 프랑스인을 믿을 수 없는 자들이라 한 Machiavelli의 말[42]을 심각히 받아들여, 미국인이 유럽인에 비하여 갖지 못하는 민족주의에 대한 체화된 이해를 보유하고, 한국 자본주의의 기원에 대한 더 깊고 바른 관찰과 결론 도달을 가졌으리라 본다. 그런데 이 문제는 기든스의 자본주의 정의와도 관련이 되므로 따로이 논의하도록 하겠다.

Eckert는 자본주의 정의와 관련하여 3명의 大家를 인용하고 있으며 이는 K.Marx, M.Weber, Thorstein Veblen이다. 따라서 이 글에서는 Marx와 Weber의 자본주의에 대한 정의와 Veblen의 사상을 통해 Eckert를 비판하며 여기에 추가로 Anthony Giddens 등의 역사 사회학자 및 비판 국제정치 이론가의 관점도 사용해 보도록 하겠다. 그러나 먼저 Eckert의 '大家 개념' 이용에 관한 총평이라면 총체적 시각의 결여 및 일관성 불유지라는 것이며, '한국 자본주의의 기원에의 일제 기여설 증명'이라는 그의 의도와는 달리 그 저서의 가장 큰 공로라면 '한국사회의 모순과 갈등과 왜곡의 기원에의 일제기여'를 소상히 드러낸 것이라 하겠다.

(상게서, p.244)의 일을 하며 2차대전 중에는 김성수, 김연수 형제 모두가 전쟁 선전 요원의 임무를 충실히 감당한다(상게서)

42) Machiavelli, 전게서, pp.521 및 Ⅰ. 서론 주9 참조

1. K.Marx의 관점에서의 비판

1) 마르크스는 자본주의의 핵심을 산업화, 기계화로 보지 않았다.

여기에서는 기든스의 논의처럼 마르크스가 자본주의에 대한 정의를 막스 베버와 같이 명확하게 제시하지는 않았지만[43], 그 행간을 통해 그 정의의 핵심을 찾아낼 수 있다고 볼 때, Eckert식으로 마르크스는 자본주의의 핵심이 산업화에 있다고 본 것은 마르크스 자신의 논의와 어떠한 관련이 있는지를 살펴볼 필요가 있는데 이는 특히 Eckert의 논문의 기본 토대를 이루는 이론적 바탕이 되기에 더욱 절실하다.

결론적으로 논의한다면 마르크스는 자본주의에 있어 산업화는 핵심적 사항이 아니고 자본주의의 속성상 자연적으로 발생할 수 밖에 없었던 필연적 결과물이며 오히려 자본주의의 핵심은 '이윤을 향한 자본의 잔인한 집착'이라고 보았다는 것이 본인의 해석이 된다. 따라서 자본주의와 산업화의 핵심적 연계라는 카테고리를 통해 한국 자본주의의 기원을 규명하려 한 Eckert의 논문은 그 이론적 토대부터 붕괴 되어 버린 것이다.

아래에서는 Eckert가 그 논문을 통해, 이를 어떻게 오해하게 되고서, 그 바탕 위에 오류 적용을 해갔는지를 자세히 살펴보도록 하겠다. Eckert는 한국 자본주의의 기원을 Korea 자체에서 찾으려는 남, 북의 역사관이 민족주의적인 것이며 그 공통성은 일제 이전에서 그 맹아를 보려 한다는 것이다. 그리고 이 남북의 대규모의 Unarticulated attitudes(論理 整然치 못한 견지)

43) 기든스, 전게서, pp.122-137

를 가진 학자들은 Anti-Japanese Sentiment(반일 감정)로 Psychologically Wrenching (심리적으로 왜곡된) 상태로[44], Marx를 제대로 이해하지도 못하고서 'An Orange Grove(오렌지 농장)'에서 'Apples(사과)'를 찾는 'a futile quest(헛수고)'나 하고 있다는 '결론에 도달하지 않을 수 없다' (One is foned to conclude)[45]고 표현한다.

그리고 이 남북의 학자들은 '모든 장벽에도 불구하고' '38선'을 넘어 '정보를 자유롭게 교환하며' 이런 초보적 결론에 'Opinion의 Convergence'를 이루었다는 것이다.[46] 이러한 나쁜 성벽(Propensity: 나쁜 뜻으로서의 성벽을 얘기)[47]을 가진 학자들의 논의는 다음과 같다고 Eckert는 얘기한다.

"국가 통제를 약화시킨 일본과 만주의 분열적 침략의 여파 속에 李氏 조선에는 17-18th에 상업화가 점증하고 있었다는 것에 이 학자들은 주목하며, 官商都賈[48]의 파열과 이에 상응하는 시장 지향적인 새로운 상인집단[49]의 출현이 있으며 이들 중 일부는 생산 과정 자체에 그 이윤을 투자하기 시작하며 후자에 의한 전자의 대체; 농촌에서의 농업의 합리화 및 상업화에 관련되는 자유 임금 노동자의 출현 등이 '화폐교환 경제의 성장요소들이

---

44) Eckert, 전게서, p.2

45) 상게서, pp.4-5

46) 상게서, p.2

47) 상게서

48) 상게서에서 Eckert가 'Privileged government merchant'라고 한 것이, 강만길, 조선후기 상업자본의 발달(고려대출판부, 1993) p.169에서는 '官商都賈'라 명명된다.

49) 강만길 교수에 따르면 私商都賈라 부를 수 있다.(상게서)

다.'고 파악하고, 결국 이 학자들은[50] 마르크스에 의해 처음으로 구도가 잡힌 서구 산업 자본주의를 향한 발전 과정의 많은 중심지 요소들이 동시적으로 기존의 한국에서도 맹아 형태로 찾아질 수 있다고 주장한다[51]고 논의한다.

그러나 이러한 연구에 대한 상세한 비판을 시도하는 것이 자신 Eckert의 목표는 아니지만, 한국학자들의 갈망에도 불구하고 조선에서의 상업화는 유럽의 전 산업사회는 물론이고 일본의 도쿠카와 시대만큼도 이루어지지 않았다고 일축한다.[52] 그리고 당시의 상황이라 해봐야 막스 베버가 말하는 '전통주의 및 금전욕'에 사로잡힌 활동에 불과하다고 평가한다.[53] 또한 당시의 산업은 수공업에 지나지 않으며 산업 자본주의의 토대를 제공할 기술적 능력이 결여되었다고 본다.[54]

---

50) 여기서 언급되는 학자 및 저서를 다음과 같이 Eckert는 밝힌다.(전게서, pp.266-267)

〈남한〉 원유한, 한국후기 화폐 경제 연구(서울:한국연구원, 1975); 유원동, 한국근대 경제사 연구(서울:일정사, 1977); 강만길, 조선후기 상업자본의 발달; 김용섭, 조선후기 농업사 연구 2(서울:일조각, 1974); 조기준, 한국 자본주의 성립사론, pp.34-41

〈북한〉 최영호, "Reinterpreting Traditional History in North Korea", Journal of Asian Studies 40, NO.3"

51) Eckert, 전게서, pp.2-3

52) 상게서, p.3

53) 상게서. 그러나 여기서 또한 그의 大家 개념사용의 비일관성이 드러난다. 즉 한국의 학자들이 상업활동이라 평가한 것은 '금전욕'에 불과한 수준의 것이며, 자신이 증거로 대는 김성수 일가의 활동은 '브르좌'의 전형이었다고 보는 것이다. 이것은 베버 項에서 더욱 소상히 다루도록 하겠다.

54) 상게서, pp.3-4

이제 가장 중요한 문제(the crux of the matter)에 도달했다고 하면서 자신의 자본주의관을 Marx와 Veblen을 이용하여 피력한다. 그리함으로써 한국의 학자들이 Marx를 얼마나 잘못 이해하고 있는지를 보여주려 한다. 55) 이와 관련한 그의 논지는 다음과 같다.

"산업주의와 자본주의는 떼어서 생각할 수 없으며, 이 점에서 Marx와 Veblen은 의견의 일치가 있다. 특히 Marx는 자본주의와 기술의 절대적 연계성에 대한 인식 개념을 가졌음에도 한국의 맹아론자들은 이를 무시하고서 자체적 산업혁명이 있었음을 증명하려 하나 이러한 사실은 희박하며, 산업화는 식민지 시대에 수입되어 한국의 산업 성장에 상당히 영향을 주었다."

이상에서 볼 때 Eckert는 자신의 논지를 입증하기 위해 Marx 이론을 원용하고 있는데 그 핵심은 자본주의와 산업주의 또는 기술력의 절대적 연계성이며, 한국 자본주의는 맹아도 없게 되고, 이후 이것이 한국민의 발전에 기여하게 된다는 것이다. 이는 일견 타당한 논의인 것처럼 보인다. 그러나 Marx가 자본론을 저술한 이유가 Eckert가 자신을 인용한 이유와 정반대에 있음을 안다면 이러한 아전인수격 인용은 저자 Marx 모독에 불과한 것이다. 먼저 Eckert의 자본주의에 대한 기본 인식은 Contribution, Catalyst라는 단어에서 간접적으로 드러나듯이 자본주의에 대하여 긍정 평가를 하고 있다는 것이다. 여기에 Eckert가 Marx를 인용한 데서 보여지는 가장 중대한 문제점인 Marx에 대한 총체적 시각 및 개념 사용에 있어서의 일관성 결여의 기반이 존재한다.

---

55) 상게서, pp.4-5

Marx가 자본주의를 바라보는 총체적 시각은 Capital이 소수의 다수에 대한 착취의 근원이라는 것이다. 그리하여 초기 자본축적 과정에서부터 이러한 피의 착취는 계속되고 이후 이것이 더욱 착취를 효율적으로 하기 위해 산업화, 기계화를 통해 노동자들의 노동에서의 잉여 가치를 원천징수하고 압출해 간다는 것이다. 자본주의에 있어 산업화가 어느 정도는 착취의 비약화를 가져오지만, 근본적인 질적 변화는 아닌 그 연장선상에 있는 것으로 보는 것이다.

Eckert는 맹아론자들이 Marx 자신의 자본주의와 기술력 사이의 the crucial relationship에 대한 개념을 ignore한 것 같다고 하면서 그 반론을 제기하기 위해 자본론에 나오는 다음과 같은 구절을, 자신이 그 논문을 전개해 나가는 뼈대로 삼으면서 제시하고 있다. 이 구절을 영어로 그대로 옮겨 보면 다음과 같다.

“This workshop, the product of the division of labor in manufacture, produced in its turn-machines. It is they that sweep away the handicraftsmen's work as the regulating principle of social production. Thus, on the one hand, the technical reason for the life-long annexation of the workman to a detail function is removed. On the other hands, the fetters that this same principle laid on the dominion of capital fall away."56)

위 구절은 마르크스의 ‘자본론 제1권 자본의 생산 과정, 제4편

56) Eckert, 전게서 p.4

상대적 잉여가치의 생산, 제14장 분업과 매뉴팩처, 제5절 매뉴팩처의 자본주의적 성격'의 가장 마지막 부분이다.

김수행 교수 번역본은 다음과 같다. "매뉴팩처적 분업의 성과인 이 작업장은 이번에는 기계를 생산하였다. 기계는 사회적 생각의 원동력이었던 수공업적 노동자들의 역할을 제거한다. 그리하여 한편으로는 노동자를 일정한 부분적 기능에 일생 동안 얽매어 두는 기술적 근거가 제거되며, 다른 한편으로는 자본의 지배를 방해해 온 장애물들도 소멸되어 버린다.[57]

그러나 Marx의 위 글을 앞뒤 문맥을 따져 보지 않고는 제대로 이해한다는 것은 불가능하다. Marx는 '자본론 제4편 상대적 잉여가치의 생산 제13장 협업, 제14장 분업과 매뉴팩처, 제15장 기계와 대공업' 부분을 통해 자본주의와 기계의 관계를 논하고 있는데 그 제목들에서 이미 어떠한 점을 시사하고 있다. 제13장 협업에서 다음과 같이 이야기 하고 있다.

"자본주의적 생산을 추진하는 동기, 그리고 그것을 규정하는 목적은 자본을 가능한 최대한도로 증식시키는 것,(여기에서 Marx는 반더린트의 화폐 만능론에 나오는 한 구절을 註로 달고 있는데 다음과 같다. "이윤은 사업의 유일한 목적이다.") 다시 말하면, 가능한 최대의 잉여가치를 생산하는 것, 따라서 가능한 한 최대로 노동력을 착취하는 것이다.[58] 농민과 수공업자의 관점에서 볼 때, 자본주의적 협업은 협업의 특수한 역사적 형태로서 나타나는 것이 아니라, 오히려 협업 그 자체가 자본주의적 생산 과정의 특유한 그리고 독특한 역사적 형태로서 나타

57) Marx, 전게서 p,468

58) Marx, 전게서 1 상, p.422

난다."[59]

이 글과 관련해서 볼 때 Marx는 자본주의의 핵심적 특징을 논함에 있어서 자본가가 상대적 잉여가치의 생산을 위해, 즉 반더린트의 말처럼 사업의 유일한 목적인 이윤을 더욱 남기기 위해, 여러 가지 방법을 모색하는 한 방도로서의 협업이라는 수단이 사용되어지고 있다는 것을 보여주려 한다는 것이다. 이러한 것은 자본가가 자신의 사업이 처한 상황 속에서 그 상황에 가장 어울리는 이윤 획득의 방법을 모색하는 본능으로 이루어지는 행위임을 보여준다. 이러한 양상은 그 후의 매뉴팩처 단계나 대공업에 있어서 기계화 단계에서도 공통적으로 보여 지는 양상일 뿐이다.

'제14장 분업과 매뉴팩처'에서도 마르크스는 자신이 협업과 매뉴팩처와 기계를 이야기하는 본 의도가 무엇인가를 보여주려 한다. 그러나 Eckert는 마르크스의 이러한 본 의도를 무시하고서(ignore) 마르크스가 프루동을 비판하면서 경제적 범주에도 넣을 수 없다고 한 '기계 또는 기술'이라는 것이 마르크스가 자본주의를 바라보는 핵심인 것처럼 이해하려 든다. 그러면 마르크스의 기계와 기술을 이야기하는 본 의도가 무엇인가를 계속해서 살펴보도록 하겠다.

마르크스는 제 14장에서 매뉴팩처의 기원을 다음과 같이 둘로 나누고 있다. (1) 여러 종류의 독립적 수공업에 종사하는 노동자들이 -어떤 하나의 생산물이 완성되기까지는 이들의 손을 통과하지 않으면 안 된다. - 동일한 자본가의 통제 하에 하나의 작업장으로 결합되는 경우이다. (2) 위와는 반대의 방식으로도

59) 상게서, pp.426-427

발생한다. 하나의 자본가가 같은 작업 또는 같은 종류의 작업을 수행하는 〈예를 들어 종이라든가 활자라든가 바늘 등을 만드는〉 수많은 수공업자들을 동시에 동일한 작업장에 고용한다. 매뉴팩처의 발생 방식, 수공업으로부터의 생성은 이와 같이 이중적이다. 한편으로는 생산 과정에 분업을 도입하거나 분업을 한층 더 발전시키며, 다른 한편으로는 이전에는 분리되어 있던 수공업을 결합시킨다. 그러나 그것의 출발점이 무엇이든 그 최종적 형태는 항상 동일하다. 즉, 인간을 그 器官으로 하는 생산 메커니즘이다.60) 하나의 완성품의 생산에서 여러 가지 부분 과정을 혼자서 차례차례 수행하는 수공업자는 때로는 장소를 이동해야 하고 때로는 도구를 바꾸어야 한다. 어떤 하나의 작업에서 다른 작업으로의 이행은 그의 노동의 흐름을 중단시키며 그의 노동일에 이를테면 틈을 만들어낸다. 그가 하루 종일 하나의 동일한 작업을 계속한다면 이러한 틈은 좁아질 것이며, 또 그의 작업의 전환이 감소되는 것에 비례하여 그 틈은 없어져 간다. 이 경우의 노동 생산성의 상승은 주어진 시간 내의 노동력 지출의 증대 〈즉 노동 강도의 상승〉에 기인하든가, 또는 노동력의 비생산적 소비의 감소에 기인한다.61) 이러한 방향으로의 작업전화의 근본적 동기는 완성 상품의 더 많은 생산에 있고 그 기저에는 이윤의 획득이 동기화되어 있는 것이다 62)고 정리하고 있다.

그리고 또 어떻게 하여 기계가 도입되기 시작하였는가에 대한 Marx의 시각은 다음에 잘 드러나 있다.

---

60) 상게서, pp.429-432

61) 상게서, pp.433-436

62) 상게서, p.431

"매뉴팩처 시대의 초기에, 상품의 생산에 필요한 노동시간의 단축이라는 원칙이 의식적으로 공식화되고 표명되었으며, 기계의 사용도, 특히 거대한 힘이 요구되며 대규모로 수행되어야 하는 단순한 초보과정을 위해, 여기저기서 나타났다. 그러나 대체로 기계는 분업과 대비할 때 부차적 역할을 하고 있었는데, 17세기에 간헐적으로 나타난 기계의 사용이 대단히 중요한 의의를 가지게 된 것은, 그것이 그 당시의 위대한 수학자들에게 근대적 역학의 창조를 위한 실질적인 토대와 자극을 제공하였기 때문이다. 매뉴팩처 시대 특유의 기계는 바로 수많은 부분 노동자들의 결합에 의해 형성되는 집단적 노동자 자신이다."[63]고 정리함으로써 대공업기를 특징 짓는 기계의 존재가 근본적으로는 그 이전 단계의 수공 노동자들과 별반 다를 것이 없다는 것이다. 여기에서 나타나는 어떤 변화는 전적으로 노동 도구의 혁명 때문이지만,[64] 이 도구의 혁명조차도 자본가의 근본 동기에 있어서는 본질적 변화는 아니라고 보는 것이다.

경제적 범주란 단지 이러한 현실적 제 관계에 대한 추상화에 다름 아니며, 그리고 또 이러한 제 범주들이란 이러한 제 관계가 존속하는 한에 있어서만 진리일 수 있다는 사실을 파악할 수 없었던 프루동에 대한 마르크스의 비판[65]을 생각게 한다. Eckert가 인용한 부분이 '제14장 분업과 매뉴팩처'의 '제5절 매뉴팩처의 자본주의적 성격' 마지막 부분인데 인용부 바로 위의

63) 상게서, pp.444-445

64) 상게서, pp.462-463

65) Marx, 철학의 빈곤 ― M.프루동의 '빈곤의 철학'에 대한 응답, 강민철, 김진영(역), (아침, 1988), pp.185-186

구절은 다음과 같다.66)

"매뉴팩처는 사회의 생산 전체를 완전히 장악할 수도 없었고 그것을 근본적으로 변혁할 수도 없었다. 매뉴팩처는 도시의 수공업과 농촌의 가내공업이라는 광범위한 기반 위에 우뚝 선 인위적인 경제 조직이었다. 메뉴팩처가 일정한 발전 단계에 이르자, 매뉴팩처 자신의 협소한 기술적 토대는 매뉴팩처 자신에 의해 만들어진 생산상의 필요와 모순되게 되었다.

매뉴팩처의 가장 완전한 성과 중의 하나는 〈노동 도구 그 자체 특히 이미 사용되고 있던 복잡한 기계 장치를 생산하는〉 작업장이었다. 유어는 다음과 같이 말하고 있다.

'기계 공장은 수많은 단체의 분업을 보여주었다. 절단기와 착공기, 선반은 각각 그 기능의 등급에 따라 편성된 노동자를 가지고 있었다.'

그리고 이어서 Eckert가 인용한 부분이 다음과 같이 계속되어 제5절의 마지막 부분을 이루고 있다.67)

"매뉴팩처적 분업의 성과인 이 작업장은 이번에는 기계를 생산하였다. 기계는 사회적 생산의 원동력이었던 노동자들의 역할을 제거한다. 그리하여 한편으로는 노동자를 일정한 부분적 기능에 일생 동안 얽매어 두는 기술적 근거가 제거되며, 다른 한편으로는 자본의 지배를 방해해 온 장애물들도 소멸되어 버린다."

작업장이 어떻게 기계를 생산하게 되었고 그 근본적 동기가 무엇인가에 대한 마르크스의 이해가 드러난다. 즉 기계가 도구의 혁명이긴 하나 사회적 제 관계에 있어서 자본가가 이미 시도하

---

66) Marx, 자본론(전게서), p.468

67) 상게서

여 왔지만 완전하게 그 의도를 이루지 못하던 상태에서, 자신의 완전한 지배를 성공시켜준 수단이라는 점에서 그 근본 동기로 볼 때는 본질적 변화는 아니라는 점이다. 그러나 Eckert는 이 기계의 도입이 자본주의에 있어 역사적 성격이 없는 돌연변이적 유일의 특징이라고 보는 오류를 범하고 있는 것이다.

한편 조선 말기의 단계를 초기 매뉴팩처의 단계로는 볼 수 있다는 점에서도, 일제의 개입에 의하지 않고서도 후기 매뉴팩처 단계로 자연 발생적으로 옮겨 갈 수 있었던 것이 오히려 내부적으로는 차단의 결과를 가져왔다는 점을 간과하고 있는 것이다. "분업에 입각한 협업〈즉 매뉴팩처〉은 시초에는 자연 발생적으로 형성된 것이었다. 그것이 어느 정도의 일관성과 적용범위를 획득하자마자, 그것이 자본주의적 생산의 의식적이고, 규칙적이며, 체계적인 형태로 된다. 진정한 매뉴팩처의 역사가 보여주는 바에 의하면, 그것에 특유한 분업은 최초에는 경험에 의해 〈말하자면 등장인물들의 배후에서〉 가장 적합한 형태를 획득하며, 그 다음에는 길드적 수공업과 마찬가지로 일단 찾아낸 형태를 고수하려고 애쓰게 되고, 이곳 저곳에서 그것을 수세기에 걸쳐 고수하는 데 성공한다. 만약 이 형태에 어떤 변화〈사소한 것은 제외〉가 일어난다면, 그것은 전적으로 노동 도구의 혁명 때문이다."[68]

'제15장 기계와 대공업에서도'에서도 마르크스의 기계에 대한 일관적 태도는 잘 나타난다.

"이 매뉴팩처에서 대공업의 직접적인 기술적 기초를 본다. 이 매뉴팩처는 기계를 생산하였는데, 그 기계의 도움에 의하여 대

---

68) 상게서, p.462-463

공업은 그것이 최초에 장악한 생산 부문들에서 수공업 생산과 매뉴팩처 생산을 폐지하였던 것이다. 이와 같이 기계제 생산은 기계제 생산에 적합하지 않은 물질적 토대 위에서 자연 발생적으로 일어난 것이다."[69]

기술적 문제에 대해서도 다음과 같이 자연 발생적 측면을 강조하고 있다.

"기계가 비싸다는 사정-이 사정은 자본가의 기계사용을 저지하는 지배적 요인이다-을 도외시하더라도, 기계로 생산하는 공업의 확대와 새로운 생산 부문으로의 기계의 침투는, 그러한 노동자 부류〈그 직업의 반예술적 성격 때문에 그 숫자는 비약적으로가 아니라 오직 점차적으로밖에 증가할 수 없다〉의 성장에 의존하고 있었다. 그 밖에도, 일정한 발전 단계에 이르러서는 대공업은 수공업과 매뉴팩처가 제공한 기술적 토대와 양립할 수 없게 되었다. 다수의 기술적 문제가 발전 과정에서 자연 발생적으로 생겨났다."[70]

그리고 과학적 및 기술적 요소들의 최초 요소는 매뉴팩처 시기에 발전하였다.[71] 조선 후기에 이러한 최초 요소들이 존재하였다는 것은 이미 증명[72]이 되었고, Eckert도 인정할 수 있는 바라고 볼 때 이것이 이후 자연 발생적으로 진전되었으리라는 것은 재론의 여지가 없다.

---

69) 상게서, p.488

70) 상게서, p.489

71) 상게서, p.482

72) 실학파의 여러 글들에서 기술과 과학, 기계사용의 중요성이 논의되고 있으며, 이는 발명은 필요의 어머니라는 구절과도 같이 자연 발생적으로 그러한 과정이 진행될 수 있다는 것을 보여 준다.

Eckert식으로 본다면 자본주의는 반드시 기계를 사용한다고 보아야 하는데 Marx는 자본주의의 본질이 이 기계의 사용 혹은 산업화에 있지 않고 잉여가치의 착취에 있다는 것을 다음에서 잘 드러내어 주고 있다.

"만약 기계를 다만 생산물을 싸게 하는 수단으로만 본다면, 기계를 사용하는 한계는 기계 자체의 생산에 드는 노동이 기계의 사용에 의하여 대체되는 노동보다 적어야 한다는 데 있다. 그러나 자본가가 기계를 사용하는 데에는 그 이상의 한계가 있다. 자본가는 노동에 대하여 지불하는 것이 아니라 고용하는 노동력의 가치만을 지불하므로, 자본가에 의한 기계사용의 한계는 기계의 가치와 기계가 대신하는 노동력의 가치 사이의 차이에 의하여 설정된다. 필요 노동과 잉여 노동으로의 노동일의 분할은 나라에 따라 다르며, 또 같은 나라에서도 시기에 따라 다르든가 또는 같은 시기에도 생산 부문에 따라 다르며, 또한 노동자의 현실 임금은 때로는 그의 노동력의 가치 이하로 떨어지기도 하고 때로는 노동력의 가격 사이의 차이는 -기계의 생산에 필요한 노동량과 기계가 대신하는 노동 총량 사이의 차이에는 변동이 없다고 하더라도 -크게 변동할 수 있다. 그러나 자본가 자신에게 있어서 상품의 생산비〈비용가격〉를 규정하며, 경쟁의 강제를 통하여 그에게 영향을 주는 것은 오직 기계의 가격과 기계가 대체하는 노동력의 가격 사이의 차이뿐이다. 따라서 오늘날 영국에서 발명되는 기계는 미국에서만 사용되며, 16세기와 17세기에 독일에서 발명된 기계는 네덜란드에서만 사용되었으며, 또 18세기의 프랑스의 많은 발명은 영국에서만 이용된 것이다. 오래전부터 발전한 나라들에서는, 기계가 약간의 생산 부문들에서 사용될 때 다른 부문들에 대해서는 노동의 과잉〈리카도가 말하는 과잉 인원〉을 일으키며, 그 결과 후자의 부문들에서는 임금이 노동력의 가치 이하로 하락하게 되어 기계의 사용이 방해되며, 또 자본가의 입장에서 보면 자기의 이윤은 고용되는 노동의 감소가 아니라 지불 노동의 감소로부터 나오기 때문에 기계의 사용은 불필요하고 흔히는 불가능하게 된다. 광산에서 여성과 아동〈10세미만〉의 노동이 금지되기 전까지는, 자본은 탄광과 기타 광산들에서 벌거벗은 부인들과 소녀들을 때때로 남자들과 함께 일 시키는 것을 전혀 도덕률에 어긋난다고 생각하지 않았으며, 특히 이윤의 획득에는 도움이 된다고까지 생각하였다. 따라서 자본은 이것이 금지된 이후에야 비로소 기계를 사용하게 된 것이다. 양키〈미국의 북부인〉들은 碎石機를 발명하였다. 그러나 영국인들은 그것을 사용하지 않고 있는데, 그 이유는 이 작업을 하는 '불쌍한 사람들'은 그들의 노동의 매우 적은 부분에 대해서만 보수를 받으므로, 기계는 자본가들의 생산비를 증가시키게 되기 때문이다. 영국에서는 운하에서 배를 끄는 등의 일에 때때로 말 대신에 아직도 여성들을 사용하는데, 그것은 말과 기계를 생산하는데 필요한 노동〈그것들의 가치〉은 수학적으로 규정된 크기이지만, 그와는 반대로 과잉인구 중의 여성들을 부양하는데 필요한 노동〈임금〉은 계산할 수 없을 정도로 적기 때문이다. 바로 이 때문에 기계의 나라인 영국에서 다른 어느 나라보다도 파렴치하게 천한 일에 인력을 낭비하고 있는 것이다."[73]

자본가가 기계를 왜 사용하는가의 핵심이 어디에 있는지는 윗부분에서 마르크스가 註로 인용하고 있는 리카도의 "기계는 흔

73) 상게서, pp.500-502

히 노동(임금을 의미하고 있다.)이 등귀하기 전에는 사용되지 못한다."라는 구절에서도 잘 드러난다. 따라서 기계 자체를 자본주의의 핵심으로 보는 것은 자본과 자본주의에 대한 인식의 결여이며 마르크스의 논지를 잘못 이해하고 있는 것을 드러내 줄 뿐이다.

따라서 Eckert는 마치 Marx가 자본주의의 핵심을 '노동(상대적 잉여가치)의 착취'가 아닌 '산업화 또는 기계화'로 본 것처럼 그의 이론을 원용하여 한국 자본주의를 산업화 또는 기계화가 어떤 경로를 통해 누구에 의해 이루어졌는가로 그 기원을 규명하려 한 것은 그 논의의 출발점에서부터 오류를 범한 것이 되어 버렸다.

그리고 마르크스 인용에서 나타나는 또 하나의 오류란 Eckert 자신은 자본주의를 긍정적으로 바라보면서도 그와는 정반대에서 자본주의를 타도해야 할 착취의 원흉으로 바라본 Marx 이론의 옹호자가 되어, 끊임없는 부조화와 갈등과 더 나아가서는 상호타도를 일으키는 吳越同舟의 형상을 이루고 있는 것이다.

따라서 Eckert가 한국의 학자들이 마르크스의 '기계화, 산업화'의 중요성을 논한 것을 모르고서(ignore) 실수를 범하고 있다고 비판한 것[74]과는 달리 오히려 Eckert 자신이 마르크스를 ignore한 상태가 되어 버렸다. 또한 Eckert는 조선에 맹아가 있었다 할지라도 맹아론자들의 논의와는 달리 한국은 스스로 산업 혁명할 가능성을 증명할 수 없다고 한 것[75]도 마르크스의 자본주의에 대한 위에서 보여지는 '자연 발생론'을 부정하면서

74) Eckert, 전게서, p.4

75) 상게서, pp.4-5

마르크스 몰이해에서 초래된 제3번의 오류를 결과한 것이 된다.
마르크스가 기계에 대한 Eckert의 이해를 직접 보았다면 어떤 반응을 보였을지는 마르크스가 프루동의 '빈곤의 철학'을 이틀 만에 완독하고 P.W.안넨코프에게 보낸 마르크스의 편지를 통해 추론해 볼 수 있다.

친애하는 안넨코프씨!

저는 당신에게 제가 그 책을 전체적으로 보아 별 볼 일 없는 것으로, 그리고 그것도 아주 보잘 것 없는 것으로 판단하고 있음을 솔직히 말씀드릴 수밖에 없습니다.
기계가 두 번째 진화입니다. 분업과 기계 사이의 연관은 프루동 씨에게 있어서는 완전히 신비에 가득 찬 것입니다. 모든 종류의 분업은 그것에 고유한, 특수한 생산도구를 가지고 있습니다. 예를 들어, 17세기 중반부터 18세기 중반에 이르기까지 인간들은 모든 것을 손으로만 만들지는 않습니다. 그들은 도구를, 그것도 매우 복잡한, 예를 들어 작업대, 북(schiffe), 지레 등등을 소유하고 있었습니다. 따라서 기계가 분업 일반의 결과로서 산출된 것인 양 이야기하는 것보다 우스운 일은 없을 것입니다. 지나가는 김에 그에 덧붙여, 프루동씨는 기계의 역사적 기원을 파악할 수 없었기 때문에, 그가 기계의 발전에 대해서는 더더군다나 이해할 수 없으리라는 사실을 지적하고자 합니다. 우리는 1825년- 최초의 보편적이고 광범위한 공황의 시기- 이전까지는 일반적으로 소비에 대한 수요가 생산보다 급속하게 증가하였으며 또 기계류의 발달은 부득이하게 시장의 수요에 따라 진행되지 않으면 안 되었다고 말할 수 있다. 그러나 1825년 이래로 기계의 발명과 사용은 단지 고용주와 노동자 사이의 전쟁의 결과일 뿐이었습니다. 그런데 일단 이것은 영국에만 해당되는 사실이었습니다. 유럽의 여러 국가들은 영국인들이 국내 시장에 있어서 뿐만 아니라 세계시장에 있어서도 그들에게 위협을 가하기 시작한 경쟁에 의해 기계를 사용, 적용하게끔 강요받았습니다. 마지막으로 북 아메리카에 있어서의 기계의 도입은 다른 여러 민족과의 경쟁의 결과였을 뿐만 아니라 동시에 노동력의 결핍, 즉 인구수와 북아메리카의 산업상의 요구 간의 불균형의 결과이었습니다. 이러한 사실로부터 귀하는 프루동 씨가 경쟁이라는 유령을 제3의 진화로서, 기계에 대한 반정립으로서 그의 주문에 의해 불러내 올 때 보여주는 총명함, 통찰력이 도대체 어떠한 것인지를 파악할 수 있을 것입니다. 따라서 기계를 분업과 경쟁 및 신용과 마찬가지로 하나의 경제적 범주로 만들려고 하는 시도는 참으로 너무나 어리석고 부조리한 이야기로 들립니다. 기계는, 마치 쟁기를 끄는 소가 경제적 범주가 아닌 것과 마찬가지로 경제적 범주가 아닙니다. 기계의 현실적 적용은 우리의 현재의 경제체제의 제 관계에 속하는 것이기는 하지만, 기계가 사용되는 방식의 문제는 기계 그 자체와는 완전히 다른 것입니다. 가루약은 그것이 인간에게 상처를 입히는 데 쓰이든지, 또는 그 부상자의 상처를 치료하는 데 쓰이든지 간에 가루약으로 남을 뿐입니다.[76]라고 보낸다.

여기에서 보여지는 것처럼 마르크스는 기계가 경제적 범주가 될 수 없으며 현실적 적용은 그와는 전혀 다른 가루약에 지나지

---

76) Marx, 철학의 빈곤(전게서), pp.177-184

않는 것으로 보고 있는 것이다. 따라서 Eckert처럼 한국 자본주의의 기원을 규명함에 있어 '기계화'를 중심으로 한 논의란 참으로 어리석고 부조리한 이야기가 되어 버리는 것이다.

오히려 직접적 노예제도는 마르크스 당시의 산업과 기계, 신용 등등의 요점이라 할 수 있었고 그러한 점에서 식민지 지배인들에 의한 노예제도는 아주 중요한 의미를 지닌 경제적 카테고리인 것으로 마르크스가 인식했던 것[77]과 비교하여 본다면 한국 자본주의가 일제 식민지 시기에 겪었던 노예 상태는 '기계'라는, 경제적 범주도 될 수 없는 것과는 달리 아주 중요한 경제적 카테고리가 되어지는 것이다.

마르크스는, 훌륭한 프루동 씨가 노예제도에 대한 이러한 숙고 끝에 과연 어떤 짓을 시작할 것인가를 반문하면서 그는 자유와 노예제도의 종합을, 참된 중용을 추구할 것이라고 했는데[78] 마찬가지로, Eckert는 한국 자본주의가 일제 강점기에 겪은 식민지 노예 상태를 바라보며, 또한 그 착취의 선봉장인 김성수 씨 일가를 바라보며, 김성수 씨 일가와 일제의 한국 자본주의의 기원에의 기여 공로자로 자유와 노예제도를 종합시키며, 참된 중용을 추구하고 있는 것이다고, 프루동의 철학의 빈곤에 대한 마르크스의 비꼼을, Eckert의 '철학의 빈곤'에 적용할 수 있을 것이다. Offspring of Empire 가 아니라, Empire of offspring으로 답변해준다.

마르크스의 프루동에 대한 아래 한 구절의 비판은 다시 Eckert에 원용되어질 수 있다.

---

77) 상게서, p.188

78) 상게서, pp.188-189

"프루동 씨가 썩 훌륭하게도 바로 인간이 옷감과 아마포와 견직물을 생산한다는 사실은 파악하고 있었습니다- 이와 같이 별볼 일 없는 사소한 일이나마 파악하고 있으니 이 얼마나 뛰어난 재주인가? 그러나 그와는 달리 프루동 씨는, 인간들은 동시에 그들의 생산제력에 따라서 그들이 그 내부에서 옷감, 아마포를 생산하고 있는 사회적 제 관계 또한 생산한다는 사실을 파악하지 못하고 있습니다. 더구나 프루동 씨는 그들의 물질적 생산성에 상응하여 그들의 사회적 제 관계를 생산하는 인간은 그와 동시에 여러 유형의 이념과 범주, 즉 바로 이와 같은 사회적 제 관계의 추상적, 이념적 표현 또한 생산한다는 사실을 조금도 파악하고 있지 못합니다."79)

즉 김성수씨 일가와 일제가 식민지기에 했던 산업 활동이 한국 자본주의라는 이념과 범주, 즉 사회적 제 관계의 추상적, 이념적 표현을 생산한 것이 아니라 일본 자본주의의 사생아로서, 피식민지의 추상적, 이념적 표현 및 실재를 영구 생산하려 하였다는 것이다.

프루동 씨가, 이미 획득된 인간의 생산제력과 이러한 생산제력에 더 이상 조응하지 못하는 그것의 사회적 제 관계 사이의 갈등으로부터 야기되는 거대한 역사적 운동의 자리에; 그리고 또 모든 국가 내부의 다양한 제 계급 사이의 그리고 다양한 제 국가 간의 가공할 만한 투쟁이 성숙된 자리에; 그리고 이러한, 오직 그것만이 이러한 제 충돌의 해결을 가능하게 만드는 대중의 실천적이고 강력한 행동의 자리에; 그리고 이와 같이 광범위하고 연속되며 복잡한 운동의 자리에 그의 두뇌의 배설 운동을 들

---

79) 상게서, p.189

이밀고 있었던 것처럼[80] Eckert는 한국 자본주의가 일제 강점기에 겪었던 일본이라는 국가와의 가공할 투쟁 및 국내의 제 갈등에 자신의 두뇌 배설 운동을 하며, 한국이라는 국가가 아직도 외부적으로는, 과거의 침략과 만행을 제대로 반성하지 않고서 여전히 90년대판 대동아공영이라는 제국주의적 국가 의도를 저버리지 않고 있는 일본이라는 국가에 대하여 견제하여야 하며, 내부적으로는, 일제 잔재를 청산해야 할 한국의 '모든 정치운동의 불구대천의 원수'(마르크스는 프루동씨를 이렇게 호칭했다) 역할[81]을 자신의 논문을 통해 하고 있는 양상이 된다.

마르크스는 자본론 곳곳에서 성경 구절을 인용하고 있다. 마치 다윈이 진화론에서 창조주 신을 부정하지 않은 것처럼. 그런데 진화론자들이 다윈의 이 관점을 제거했듯이 마르크스주의자들이 신을 부정해간다. 그리고 그 폐해가 6.25 전쟁으로 귀결되었다.

80) 상게서, p.191

81) 상게서 p.191에서 마르크스는 프루동씨를 모든 정치 운동의 불구대천의 원수라고 명명하고 있다.

2) 符合자본론적 사실, 反자본론적 해석

여기에는 Eckert가 수집한 사실은 자본론에서 논의하는 이론을 뒷받침하기에 적절한 것이었음에도, 그 사실을 해석함에 있어서는 반자본론적 결론에 도달한 아이러니를 살펴보도록 하겠다.

Eckert가 그 논문을 통해 상세하게 보여준, 김성수 씨 일가가 대자본으로의 상승을 위해 향한 여러 행태들을 분류해 놓으면 다음과 같은데, 이는 한국판 자본론이 되어 마르크스가 이를 관찰했더라면 자신의 '자본론' 집필에 참고 자료 및 실례로 사용하였을 것인 바, 대략 간추려 보면 다음과 같다.

1876년에 김성수 씨 일가는 전라북도 고부(현재 고창)에서 소지주였고, 여기에는 김성수 씨의 조부 김요협 때 전남 장성에서 이주해 와 (고부 지주의 딸과 결혼으로) 살게 되었다. (참고로 필자 김광종의 외가도 이 일대의 지주였다.) 이 일가는 능력이 있었고 군산 등을 통한 일본에의 쌀 수출로 막대한 부를 축적하기 시작하였는데, 이 고부의 지리적 특성으로 (군산항과 연계용이, 드넓은 호남평야) 이들은 그 수완과 함께 비약적 성장을 했는데 여기에 사용되어진 수완이라는 것은 일제의 정책에 부응하여 열심히 쌀 수출을 한 것이며,(당시 동족이 먹을 쌀이 없어 굶주림에 시달리는 것에는 아랑곳 없이.[82] 그리고 1910년대 당시 일제의 武斷農政에 의해 한국 농민의 의사나 이해관계가 철

---

82) 1) 조동걸, 일제하 한국 농민운동사(한길사, 1979), pp.19-80
2) 홍성찬, 한국 근대 농촌사회의 변동과 지주층(지식산업사,1992), pp.17-42

저히 무시되어진 것은 한 일본인이 1910년대를 회고하면서 쓴 글[83] 에 잘 나타나고 있다.) 이는 이후 기아 수출의 전형적 모범의 예가 된다.

1915-1919년의 연평균 조선의 쌀 생산량이 1,100만석이었는데 1930-33년에는 약 1,500만석으로 증가(약 3할 증가)한데 비해서 일본에로의 이출고는 이사이에, 약 200만 석으로부터 약 700만 석(3.2배)으로 증가하고 있다. 생산고에서 차지하는 이출고의 비율은 이 동안 18%에서 46%로 격증하고 있다. 반면 1인당 연평균 소비량은 이 동안 0.70석에서 0.44석으로 오히려 격감하고 있다. 조선 농민의 희생 위에서 이루어진 이 기아 수출은 일본 식량 문제 및 국제 수지 문제의 완화에 도움이 되었는데 소화 공황 이후 이 격증하는 이출은 거꾸로 일본의 미작을 압박하고 쌀 과잉, 쌀값 저하 문제를 불러일으켜, 드디어 산미증식 계획은 1934년 이후 일단 중단하였는 바[84] 여기에서도 지주와 일제가 조선민은 안중에도 없이 어떤 작태를 벌였는지 잘 나타난다.[85]

일제는 1905년부터 토지조사 사업을 비롯하여 토지 가격의 조사 및 지형 지모의 조사 세 가지 사업을 내용으로 하였다. 이로

---

83) 久間健一, 朝鮮農政의 課題, 1943, pp.7-9(자료모음 근현대 한국탐사, 역사비평사, 1994. p.139 재인용)

84) 小野 ― ― 郎, "제1차대전후의 식민 정책론(조선 문제를 둘러싸고)", 근대 동아시아와 일본 제국주의, 김영호(편), (한밭, 1983), p.77

85) 堀和生, 일본 제국주의의 조선에서의 농업정책, 상게서, pp.209-257 에서도 이러한 조선 민중을 도외시한 일제와 조선 지주의 야합이 잘 드러나고 있다.

써 토지 등기 제도의 창설과, 재정의 기초 수립, 지도상 명기 등을 표면상의 명분으로 내걸었지만, 이를 통해 조선 농촌의 일대 변화와 왜곡이 시작된 것이다. 이 근대적 토지 소유 제도의 확립이란, 토지 사유권자의 확정에 있어서 토지의 현실적 보유자이고 경작자인 농민을 토지 사유권자로 한 것이 아니고 봉건적 토지 소유권자, 즉 收租權者를 그대로 토지 사유권자로 한 점에 있어서 극히 불철저하였고 마침내 후기 일본 식민 역사상 전개한 農工併進에 커다란 질곡으로 전화, 발전했던 것이며 이는 일본 내 토지조사 시 자작농 확대 정책과 상반되는 것으로 식민 정책적 기만성이 드러난다.86)

민족적으로 이러한 시기가 성숙되기 전부터 김성수 씨 일가가 어떻게 자본 축적을 했다고 Eckert가 논의하는지 살펴보면 다음과 같다.

이들은 일제의 동양척식주식회사의 실패 후, 지주제 강화란 일제 정책의 호기를 이용, 고부의 드넓은 평야를 그 안마당으로 넓혀가며 비약적 수출 증대를 이룩한다. 이 과정에 마름을 이용하여 소작인을 착취하며, 고정 소작료제 등의 방법을 통해 치부를 도모했는데 심지어 가격조작까지도 서슴지 않았다. 즉 이들은 소작료를 더 챙기기 위해 해마다 소작인을 교체하며(소작료를 올리면서 보증인도 세우도록 하고), 지세는 가능한 한 소작인들이 물게끔 유도하고, 소작료는 소출에 상관없이 고정시켜 놓는 등의 수법을 썼으며, 1918년에는 마름이 김기중 가계(김성수 포함)에 총 38명이었고, 김경중 쪽에는 2-2.5배 더 많았

---

86) 김문식, 일제하의 농업(농기구를 중심으로), 일제의 경제 침탈사, 김문식 외4인(현음사, 1982) pp. 23-29

는데 이들은 당근과 채찍으로 관리되어 소작료 손실 부분이 이들에 전가되게끔 하고, 소작료를 잘 받아내면 이들에 이익이 되도록 하였고, 이들의 창고에까지 쌀을 쌓아 두었다가 쌀값이 기대만큼 오르기를 기다려 방출하곤 하였다.[87]

그런데 아이러니컬하게도 김성수 씨 일가의 시초 자본 축적의 주무대였던 이 고부는 전봉준이 동학혁명을 일으킨 곳[88]이기도 하다.

김성수씨 일가가 당시 이 지역의 대표적 지주였음과 Eckert의 기록 수집 사실을 감안할 때 이 동학혁명의 원인과 전혀 무관하지 않으리라는 것은 짐작 가능하다. 당시 조선 최대로 백성의 원성이 높던 곳에서 이들은 Eckert가 그리도 찬양해 마지않았던, 한국 자본주의를 마련키 위한 자본 축적을 '자본론'이라는 교과서에 나오는 대로 악랄하게 충실하게 해 나간 것이다. 金樽美酒千人血 玉盤佳肴萬姓膏 燭淚落時民淚落 歌聲高處怨聲高[89]의 상태가 이미 이들에게 있었다고 볼 수 있는 것이다.

Eckert는 산업 자본가로 그 직책을 하나씩 더 늘려간 한국의 지주들에 대해 다음과 같은 고찰을 보이고 있다. 그는 1980년도에 발표된 하버드 연구소와 한국 Development Bank의 공동 연구에서 조사 대상 샘플의 기업인 중 47%가 지주의 후손으로 나타났는데 이는 한국인의 배경 과정 성향(남의 나라 사람들을 어찌도 잘 아는지!)을 감안하면, 그 이상이 지주의 후손일 것

87) Eckert, 전개서, pp.17-26

88) 이광순, "갑오 동학혁명의 정신사적 의미," 동학사상과 동학혁명 (청아출판사, 1984) pp.297-332

89) 춘향전 중 이몽룡의 칠언절구

으로 추정된다고 이야기한다. 한국인은(지주 계급 출신을 미국인처럼 부끄럽게 여긴다고 Eckert는 생각하는 듯하다. 한국에서 땅을 많이 가진 자가 얼마나 스스로를 자랑스럽게 여기는 계급인지를 Eckert는 못 느끼고 있는 것이다.)

그리하여 Eckert는 기업가와 지주의 연관성을 논하면서 여러 훌륭한 지주들을 소개시키고 있다. 한성은행과 조선은행의 설립자의 일원인 김종한은 지주 소득으로 그 자본을 댈 수 있었고, 1929년 조선 공산당은 "대부분의 브르좌들이 지주이다"라고 선언했다는 얘기를 인용하면서 1876년 이후는 지주가 객주보다 더 많은 이윤을 확보할 수 있었는데 그 이유는 쌀 수출 때문이며 객주 중에서도 이 때문에 지주 겸업자들이 더 늘어났고 동양척식주식회사의 존재와 일본에서의 쌀 수입 관세 인상으로 지주들이 어려움을 겪기도 했지만(그렇다고 이들이 배고픔을 겪었으랴!: 필자 주) 동양척식주식회사의 실패 후 일제의 지주제 강화 정책으로 그 호황을 누렸으며 1913년에는 관세까지 폐지되어 더할 나위 없는 자본 축적의 기회를 가졌으며, 1차 세계대전 기에도 호황을 누렸는데 이 지주 계급들은 'a halcyon'(물총새, 부유한, 무사태평한)의 지위로 1876-1919년의 시기를 보내게 되었다고 Eckert는 기술한다.

이들이 물총새였을 때 당시 대체로 전 국민의 80%를 상회했던 일반 농민들은 'a scops owl'(소쩍새: 이 새에 관한 전설로는 가난한 며느리가 솥이 적어 밥을 못 얻어 먹고, 결국 죽어서 이 새가 되었다는 이야기도 있고, 배고파 죽은 아이들이 이 새로

변했다는 전설로 있다)이 되어 哀絶陽[90]에 나오는 男絶陽 (남자의 생식기를 짜르는 일)의 사연에 얽혀 있을 수밖에 없었다.

이 시는 1803년 정약용이 지은 시이다. 전남 강진에서 노전에 사는 백성이 아이를 낳은 지 사흘 만에 軍保에 편입되고, 里正이 가난한 한 백성이 못 바친 군포 대신 소를 빼앗아 가니 그 가난한 백성이 칼을 뽑아 자기 陽莖을 스스로 베면서 말하기를 "내가 이 물건 때문에 곤액을 받는다"고 하였는데, 그 아내가 그 양경을 가지고 관문에 나아가니 피가 뚝뚝 떨어졌고, 울며 호소하였으나 문지기가 막아 버렸다는 이야기를 다산이 듣고 지은 것인데 아래에 실어 보도록 하겠다.

애 절 양 (哀絶陽)[91]

갈밭마을 젊은 여인 울음도 서러워라
현문(縣門) 향해 울부짖다 하늘 보고 호소하네

군인 남편 못 돌아옴은 있을 법도 한 일이나
예부터 남절양(男絶陽)은 들어보지 못했노라

시아버지 죽어서 이미 상복 입었고
갓난 아인 배냇물도 안 말랐는데
삼대(三代)의 이름이 군적에 실리다니

---

90) 정약용, 목민심서 4권, 다산연구회(역주), (창착과 비평사, 1992.pp. 115-116)

91) 정약용, 다산시선, 송재소(역주),(창비, 1993), pp. 238-241

달려가서 억울함을 호소하려도
범 같은 문지기 버티어 있고
이정(里正)이 호통하여 단벌 소만 끌려갔네
남편 문득 칼을 갈아 방안으로 뛰어들자
붉은 피 자리에 낭자하구나
스스로 한탄하네 "아이 낳은 죄로구나"

잠실궁형(蠶室宮刑)92)이 또한 지나친 형벌이고
민93) 땅 자식 거세함도 가엾은 일이거든
자식 낳고 사는 건 하늘이 내린 이치
하늘 땅 어울려서 아들 되고 딸 되는 것

말 돼지 거세함도 가엾다 이르는데
하물며 뒤를 잇는 사람에 있어서랴

부자들은 한 평생 풍악이나 즐기면서
한 알 쌀, 한치 베도 바치는 일 없으니

다 같은 백성인데 이다지 불공한고
객창에서 거듭거듭 시구편94)을 읊노라

---

92) 궁형은 남자의 생식기를 짜르는 형벌인데 이 궁형에 처해진 자의 생식기를 자르는 방이 잠실이다. 바람이 통하지 않는 밀실에 계속 불을 지피는 것이 누에 치는 방과 비슷한 데서 이른 말이다.

93) 민은 고대 중국의 나라 이름인데 이 민나라 사람들은 자식을 건이라 불렀다고 한다. 이 나라에서는 자식을 낳으면 생식기를 잘라서 혹은 사내종을 삼기도 하고 혹은 계집종을 삼기도 했다고 전한다.

이 땅의 민초들이 이러한 한 맺힌 노래를 부를 수밖에 없게 만든 기구한 생활을 그 先代부터 해왔다. 그리고 이런 생활은 1894년에는 倡儀文[95] 을 짓게 하였고, 활빈당으로 하여금 十三條目大韓士民論說[96]을 공표케 하였다. 그런데 이 중 동학혁명을 좌절시킨 것이 다름 아닌 일제였다는 것이다. 갑오 정월 초삼일에 전라도 동학 거두 세 사람의 이름으로써 창의문 일편을 지어 조선 천지에 날리고 제 일착으로 고부성을 陷落하였다. 그리고 이 당시의 고부가 바로 김성수씨 일가가 한창 시초 축적을 하던 곳이었음을 Eckert는 소상히 보여 주었다. 한편 이 창의문을 적어보면 다음과 같다.

창 의 문 (倡義文)

세상에서 사람을 귀하다 함은 인륜이라는 것이 있기 때문이다. 군신 부자는 인륜의 가장 큰 자라, 人君이 어질고 신하가 곧으며 아비가 사랑하고 아들이 효도한 후에야 국가가 無疆의 域에 미쳐가는 것이다. 同我 聖上은 인효 자애하고 神明 聖叡한지라 賢良方正之臣이 있어 그 총명을 翼贊할지면 요순처럼 되어 文景之治를 가히 바랄지라, 금일에 人臣된 자 圖報를 思치 않고 한갓 祿位만 도적하여 총명을 擁蔽할 뿐이라, 충간지사를 妖言이라 이르고 정직지인을 匪徒라 하여 안으로는 보국의 재가 없고

94) 통치자가 백성을 고루 사랑해야 한다는 것을 뻐꾸기에 비유해서 읊은 '시경'의 편명

95) 오지영, 동학사,(대광문화사,1984) pp.119-120

96) 信夫 淳平, 1905 한반도, pp.76-79 (자료모음 근현대 한국탐사, 전개서, pp.95-98, 재인용)

밖으로는 虐民의 官이 많다. 인민의 마음은 날로 변하여, 들어서는 樂生의 업이 없고 나가서는 保身의 責이 없다. 학정이 날로 자라고 원성이 그치지 아니하여 군신부자 상하의 分이 무너지고 말았다. 소위 公卿이하 방백 수령들은 국가의 위난을 생각지도 아니하고 다만 肥己潤産에만 간절하여 詮選의 門을 돈벌이로 볼 뿐이며, 응시의 장은 매매하는 저자와 같았다. 허다한 貨賂는 국고에 들어가지 못하고 다만 개인의 私藏을 채우고 만 것이며 국가에는 積累의 債가 있어도 淸償 하기를 생각지 아니하고 교만하고 사치하고 음란하고 더러운 일만을 기탄없이 행하여 八路가 어육이 되어 만민이 도탄에 들었다. 守宰의 탐학에 백성이 어찌 곤궁치 아니하랴. 백성은 국가의 근본이라, 근본이 衰削하면 국가는 반드시 없어지는 것이다. 보국안민의 策을 생각지 아니하고 다만 제 몸만을 생각하여 국록만 없애는 것이 어찌 옳은 일이랴. 우리 等이 비록 재야의 유민이나 君土를 먹고 君衣를 입고 사는 자라, 어찌 차마 국가의 멸망을 앉아서 보겠느냐, 八域이 同心하고 億兆가 詢議하여 이에 義旗를 들어 부국안민으로써 死生의 盟誓를 하노니, 금일의 광경에 놀라지 말고 昇平聖化와 함께 들어가 살아 보기를 바라노라.

호남창의소

전 봉 준
손 화 중
김 개 남 等

눈물이 나는 문장이다.

나라와 백성을 사랑하여 일으킨 기치를 淸이라는 외세를 이용해 꺾으려다가 결국은 일본이라는 여우에게 나라를 빼앗기게 되는 지름길을 내어준[97] 당시의 守宰와 부자들은 여전히 안락한 생활을 누리게 되고, 백성들은 더욱 곤란한 삶을 누리는 가운데에서 나라를 다시 살려 내고자 갖은 노력을 다하게 된다.

의병 등의 독립운동이 계속되고 1920년대를 넘어가면서는 이들 중 상당수가, 지주 등이 일제에 붙어 반민족적인 행위를 지속하는 것을 알게 되자, Eckert가 서대숙 교수의 글을 인용한 것처럼[98] 대부분의 지주가 타도해야 할 브르좌이다 라는 생각을 갖는 사회주의자가 되어 사회주의 혁명을 통한 민족주의적 독립운동을 계속하게 된다. 이것이 결국 민족 분단의 결과를 초래했다는 것에서 일제 및 지주 계급은 한민족사에 씻을 수 없는 아픔을 남겨 놓은 셈이 된다.[99]

한편 김일성 가계도 원래 전라북도 전주에 거주하고 있었는데 김계상 할아버지 대에 살 길을 찾아 북으로 올라 왔다고 한다.[100] 필자는 필자의 아버지 김완봉 옹과 함께 전주 근처 모악산에 있는 김일성 가계의 조상묘를 가본 적이 있다. 필자의 아버지는 이제 돌아가셔서 6.25 참전 용사 묘소인, 임실 호국원

---

97) 동덕모, 조선조의 국제 관계(박영사, 1990), pp.157-185

98) Eckert, 전게서, p.15 여기에서 서대숙 교수의 “Document of Korean Communism 1918-1948(Princeton: Princeton University Press, 1970) p.156을 인용하고 있다.

99) 한창수(편), 한국 공산주의 운동사(지양사, 1984), p.11 스카라피노, 이정식 공저, 한국 공산주의 운동사(돌베개, 1986), p.179-305

100) 김일성, 세기와 더불어 1권(조선 로동당 출판사, 1992) p.4

에 영면하셨다.

드넓은 호남평야가 민족 분단의 씨앗을 배태하고 있었던 것이며, 반민족적 지주들은 그 핵심 역할을 하였던 것이다.

한편 Eckert는 1919년경 조선의 지주들이 산업 자본가의 직업을 하나 더 가지며 문어발식 확장을 하게 되는데 이것이 3가지 요인과의 연관 하에 이루어진 것으로 본다.

첫째 경제 발전에 대해 민족주의적이고 진보적인 생각을 가지고 있으며 부모로부터 유산이라는 수단을 물려받고 그 유산을 활용할 기술(대체로 일본에서 얻은)을 가진 신세대의 도래이고 두 번째는 이전보다 더 많은 자본을 소유하게 된 지주들이 땅에 투자하는 것보다는 산업에 투자하는 것이 더 매력적이게 만든 경제 상황의 변화이며(여기에서는 Eckert가 마르크스의 이론을 충실히 따른다. 즉 산업화가 자연 발생적으로 이윤이 있는 곳으로 좇아가다가 생긴 것이라는 것), 세 번째는 가장 중요한 것으로 지적되어지는 것으로 일제가 3.1운동 이후 무단통치를 표면적으로 버리고 문화 통치로 정책 변화를 꾀한 것이다.

그리고 그 대단한 사업수완 (a keen business sense)[101]에 따라 김씨 일가도 이 호기를 절대 놓치지 않았다. 이 과정에 김성수씨와 그의 동생 김연수씨가 신세대로서 이 활약을 담당하게 된다.[102]

이상의, 농촌 주민으로부터의 토지 수탈: 피수탈자에 대한 피의 통치: 임금인하: 자본주의적 차지 농업가로의 전환 및 이후 산업 자본가로의 등장 등은 자본론의 제 8편 〔이른바 시초축적〕

101) Eckert, 전개서, p.20

102) 상게서, p.30

부분을 장식하고 있는 장들의 제목들[103]이 된다.

그리고 이들이 이후 일제의 호위를 받으며 산업 노동자를 어떻게 착취하였는가를 Eckert는 그 논문의 전편을 통해 상세히 보여준다. 마르크스에 의해 비판을 받은 '자본가'라는 칭호 앞에 두 글자가 더 붙어야 하는 행위를 이들이 얻어낸 것이다. ='매판'=, 그래서 이들은 '매판 자본가'의 전형적 예가 되어진 것이다.

일제는 1919-1945까지 식민 초기에 더욱 교묘한 방법으로 착취를 하며 이 시기에 산업화가 불완전한 형태이긴 하지만 상당히 뚜렷하게 이루어졌다고 Eckert는 본다.[104]

특히 1919년 이후 한국 자본가들에게 문화 통치의 혜택으로 정치적 장벽이 제거되어 도움이 되었다고 언급한다.[105] 이제 토지정책에 있어 지주와 일반 농민을 분리시켜 성공한 일제는 산업 (그들의 만주 침략의 기반)에 있어서도 브르주아와 민중을 분리 통치하는 양상을 보인다. 마키아벨리가 통찰한 것처럼[106] 명분적으로나, 다수의 적이 있다는 점에서 약점이 있는 일제가, 이런 분리 통치를 시행한 것은 여우의 교활함이 그들에게 있었음을 보여준다.

김성수씨는 1914년에 동경에서 한국으로 돌아온다. 그는 일본에서 본 근대 자본주의 사회의 모습을 한국에 이식시키려는 의도가 있었고, 먼저는 그의 아버지와 숙부처럼 교육에 관심을 가

103) Marx, 전개서 1 (下) pp.895-973

104) Eckert, 전개서, p.50

105) 상게서, p.51

106) 마키아벨리, 전개서, pp.491-492

지고 여기에 투자했다고 Eckert는 설명한다.[107)]

김씨 일가를 무자비한 지주라고 묘사했던 것이 얼마되지 않았는데 이제는 민족주의자요, 교육자의 집안으로 설명한다. 김성수 씨는 이후 친지 이강현(직물 기술자)에 의해 산업에 관심을 가지게 되고, 그의 자문을 받아 경성방직 주식회사를 1917년에 인수하게 된다. 그리고 이를 포함한 경성방직주식회사를 1919년에 창설하였는데 경성 織紐 주식회사는 이후에도 동일 자본계의 특수업종 회사로서 존속하였다.[108)] 한편 김연수 씨는 여기에 함께 관여하다가 1935년에 김성수 씨가 손을 떼고 다시 교육 쪽으로 돌아간 후, 회사 전체의 운영을 책임지게 된다. 이제 김연수 씨는 뛰어난 사업 수완을 보이는데 일제의 한반도 산업화 정책 (철저히 그들의 대동아 공영권의 초석으로서의 의미)의 기수로써 그 시기를 적절히 이용한다.

일제는 자국 내에서 정경유착을 통해 발전시켰던 산업화 전략을 한반도에도 적용한다.[109)] 李氏 조선(Eckert는 The Yi state라는 표현을 쓴다. 70p. 등)에서는 볼 수 없던 강력한 중앙 권위체인 조선 총독부는 정치, 경제, 군사에 있어 영향력을 발휘하게 되며 여기에서 경방은 철저히 친일 구도를 택함으로써 존속할 수 있고 성장하게 되었다고 Eckert는 보고한다.[110)]

1919년에 경방은 이강현의 시장 판단 착오로 어려움을 겪게 되는데 여기에 홍수로 인한 수재와 경쟁 심화 등의 3중고에 빠

107) Eckert, 전개서, p.56

108) 상게서, pp.53-59

109) 상게서, p.70

110) 상게서, pp.69-74

지게 된다. 이 때 조선 총독으로 부임한 사이또는 문화 통치의 일환으로 경방에 보조금과 보호를 제공하는데 이는 경방 쪽이 먼저 요청한 것이라고 Eckert는 설명한다.[111] 한 끼 배가 고파 팥죽 한 그릇에 장자의 명분을 파는 야곱의 형 에서의 행각이 두드러진다.[112]

그러나 이런 행위를 쉽게 판단할 수는 없다. 다윗이 블레셋[113]에, 관우가 조조[114]에게(자신의 행위를 가리켜 관우는 見機而作: 그때그때 기회를 보아 잘 대처함이라 표현한다.) 레닌이 독일군에 의탁한 사건들도 있었기 때문이다. 그러나 그 본 의도가 무엇이었는가는 결국 드러나는 것이 섭리이다.

따라서 경방이 이후 어떠했는가를 보면 이 때의 진의가 무엇이었는가는 여실히 나타난다. 그리고 이미 그 '떡잎'이 어떠했는지도 보여진 뒤이다. 경방은 이후 여러 자금난을 타개하는 방법으로 은행 대부를 받게 되는데, 당시 은행 여건상 이는 총독부의 호의 없이는 불가능한 것이었다.(이 대출금이 실은 조선인의 주머니에서 나온 것임은 여러 연구에서 밝혀졌는데 이는 이 글의 다른 곳에서 논의된다)

총독부와의 밀착 관계에 친일파의 거두 박영효도 상당한 역할

---

111) 상게서, pp.81-84

112) 개역 성경, 창세기, 25장 27-34절

113) 개역 성경, 사무엘(上), 27장

114) 나관중, 삼국지연의, 이문열(평역), 제 4권(민음사, 1995) pp. 45-147에서는 관우가 조조에게 패한 후 유비와 헤어지게 되어 조조 수하에 들어가 잠시 장수 노릇을 하지만 결국은 유비를 위해 그러한 것이었으며 이후 유비에게로 돌아간다. 이 과정에서 장비가 관우를 오해하여 살해하려 하지만 결국 그 본 의도를 알게되고 謝罪를 구한다.

을 하는데 그가 바로 이 경방의 초대 사장이었던 것이다.[115] 경방이 산업화 과정에서 어떠한 반민족적 착취적 행위 양태를 보여 주었는지는 Eckert의 글이 소상히 그 전편을 통해 소개하고 있다. 그리하여 끊임없이 Eckert도 이들이 현 한국 자본주의의 발전 기수라고 하면서도, 한편으로는 토씨를 달아 그들의 잔인성에 대해 언급할 수밖에 없는 이중의 고민에 빠져든다. 이러한, 이후의 부녀자를 비롯한 노동자 착취 및 반민족적 행위는 M.Weber와 관련하여 Eckert를 비판하는 데서 자세히 살펴 볼 것인바 여기에서는 더 이상 따라가보지는 않겠다.

한편 Marx가 김성수류의 사람들과 일제를 찬양하는데 이용되어지기 위해 자본론을 저술하지 않았음은 자명한 일이다. 그러나 Eckert는 일제와 이들에 협력한 사람들이 오늘의 한국 경제의 초석 마련에 가장 도움이 된 사람들로 보고 있어, 애초부터 Marx와는 입장을 달리하고 있으며, 따라서 Marx의 산업화 개념을 단편적으로 원용한 것은 논지 전개에 있어 핵심적 문제점이 되며, 자본주의를 조금이라도 인류에 도움이 되는 것으로 인식했다면 朝三暮四 식으로 Marx를 인용하지 않았어야 한다.

따라서 Eckert가 Marx를 정확히 이해했다면 자신이 밝혀낸 많은 사실들을 통해서 김성수 씨 일가를 무자비함(ruthlessness)[116]이라는 명사로 비난하는 것과 동시에, 현 한국 자본주의의 토대자로 공로 평가하거나 일제를 기여국으로 해석하며, 명예보다 돈을 더 사랑하여 선택의 기로에 설 때마다 팥죽 한 그릇에 장자의 명분을 파는 권력의 시녀가 되어 명예보

115) Eckert, 전게서, pp.87-102

116) Eckert, 전게서, p.20

다는 돈을 택했던 한국 기업인들이라고 은근히 그들을 매도하면서도, 그러한 비양심적 기업가들 때문에 오늘날 한국이 이렇게 발전할 수 있었다[117]고 하는 한국 자본주의를 해석하는 이중성의 오류를 범하지 않았을 것이다.

Marx는 자본론 제8편 제32장 자본주의적 축적의 역사적 경향의 마지막 쪽[118]에서 국민 대중이 소수의 횡령자를 수탈하는 것과 소수의 횡령자가 국민 대중을 수탈하는 것을 비교하며 전자를 고무시키고 있는 것이다.

그런데 Eckert는 이 후자를 고무 찬양하고 있는 것으로, Marx의 지엽적 논지(자본주의와 산업화의 연계성)를, 그 중심적 논지(자본주의의 인류에의 해악성)에 반하는 형태로 원용하는 ignore 및 이중성의 오류를 계속해서 여기저기서 범하면서 그 '철학의 빈곤'을 드러내고 있는 것이다.

결론적으로 Eckert가 철저하게 마르크스의 자본주의관에 입각해 한국 자본주의를 평가하고 김성수 씨 일가 및 그 이후의 권력에 명분과 죽 그릇을 맞바꿔 주었던 기업가들에 대해 평가했다면 다음과 같은 글이 나왔을 것이다.

- 김성수 씨 일가와 같은 조선 후기에 '시초적 피의 자본 축적'을 해 간 부류들은 이후에 어떠한 정치적 상황이 왔을지라도 거기에는 상관없이, 더욱 상대적 잉여가치를 증대 획득하려 갖가지 방법을 썼다. 그러한 방법 중에는 생산비를 감소시킬 수만 있다면 동족 어린이나 부녀자를 가리지 않고 노예처럼 부렸고, 인건비가 더 부담이 되면 기술 개발로 기계화를 도모했으며, 자

117) Eckert, 전게서, p.253-259

118) 상게서, p.960

기의 사업을 통해 이익만 증대시킬 수 있다면 자신의 조국이 국권을 상실하든 말든 관계없이 어떤 제국주의자와도 손을 잡았고. 국내의 강과 바다가 각종 오염 물질로 오염될지라도 어떤 폐수라도 방류했으며 어떤 위해한 제품도 생산했고 어떤 선정적 광고도 감행했으며. 이제는 피를 흘려 준 베트남에 가서까지 진출 투자국 중 노사분규 1위의 명예로운 칭호를 얻고 있다.[119] 이 과정에 배부른 것은 국적 불명의 자본가요, 헐벗고 죽어간 것은 노동자, 농민이었다. 그리고 이러한 일은 자연 발생적으로 일어난 것이다. 이 자본은 60년대 이후 경제 개발 및 근대화 과정에서 일제시대의 산업화 과정에서 생겼다가 이승만 시기에 숨을 죽이고 있던 중 박정희에 의해 prototype으로 재사용되어져 현 한국 경제 발전의 중추적 역할을 담당한 일제 전수 know-how 및 일제 잔재[120]가 아니었어도 지구 반대 끝까지 가서라도 그 사업에 이윤을 확대 재생산할 수만 있다면 어떤 것이라도 가져다가 그 사업에 이용하였을 것이라는 점에서 한국 자본주의의 진전의 최대 공로자는, 단연 '돈을 사랑하는''자본' 이라는 '사탄'그 자체에 있으며, 일제의 한국 자본주의 기여 등은 대세에 별 영향을 주지 않은 주변적 요인이었을 뿐이다.-

Eckert교수가 마르크스를 원용했으려면, 필요할 때는 context에 어울리지 않게 부분적으로 인용하고, 거추장스러울 때는 본질적으로는 그 이론을 배반하는 朝三暮四式이 아닌 일관되고 솔직한 위탁 자세가 요구되어졌던 것이다.

119) 한겨레 신문, 95.3.14, 1-2면

120) Eckert, 전개서, pp.253-259

2. M.Weber 관점에서의 비판

자본주의를 부정적으로 바라본 Marx와 이를 어느 정도 긍정적으로 바라본 Max Weber, 그리고 이를 한민족에게 도움이 된 것으로 본 Eckert, 이렇게 본다면 오히려 Eckert는 Weber의 자본주의관에 가깝다고 볼 수 있다. 그러나 역시 Weber 인용에서 또 다른 오류를 범한다.

Eckert는 자본주의의 성격을 규명한 또 한 분의 大家 Max Weber를 인용하여 한국 학자들을 비판한다. 한국 학자들이 조선에서도 이미 私 商人이나 공인들에 의한 자본 축적이 있었다고 하나 이는 Weber가 얘기하는 금전욕에 가득찬 전통주의에서도 발견되어지는 전 자본주의적 요소로서, 자본주의 씨앗이 조선에 있었다는데 사용되어질 수 없다는 것이다.[121]

그러나 이것도 언뜻 보면 타당한 듯이 보이나 Eckert가 인용한 M.Weber의 관계 글 전체[122]를 읽어본 사람이라면 Marx 인용에서 보여진 총체적 시각 결여 및 비일관성이라는 오류가 다시 여기에서 어떻게 나타나고 있는가를 알게 될 것이다. 위에서 Eckert는 '자본의 모험적 축적'[123]이라는 개념을 사용하는데 맹아론자들이 말하는 조선의 자본 축적이라는 것이 Weber의 이 개념 해당 수준을 벗어나지 못한다고 보는 것이다.

그러면 Eckert와 Weber 사이에는 어떤 차이점이 존재하고 있는가를 알아보는 것이 필요하다. 한편 한국의 학자들이 자본 축

---

121) Eckert, 전개서, p.3

122) M.Weber, 전개서, pp.26-27

123) Eckert,전개서, pp.22-23

적의 자본가라고 부른 이들에 대해서는 Weber의 전통주의, 금전욕의 개념을 원용함에도 김성수 씨 일가가 보여준 자본 축적은 가끔씩 Eckert 자신이 그들의 무자비함(ruthlessness)을 꼬집기는 해도 결론적으로는 이와는 전혀 다른 진정한 자본주의의 틀을 가진, 전 자본주의124)와 구별되는 합리적 정신을 가진 자본주의의 人物들의 행태로 구별 짓고 있다.

그러나 Eckert가 김성수 씨 일가를 통해서 보여준 초기 자본 축적 과정 및 이후 산업화 과정에서의 반민족적 반인륜적 행위 양태는 오히려 M.Weber가 〈이익을 위해서는 지옥이라도 행하겠으며 설령 그럼으로써 돛이 불탄다고 해도 마찬가지다〉라고 말한 네덜란드 선장의 모습을 보여준다는 점에서 결코 대중 현상인 특정한 근대 자본주의의 〈정신〉 -문제는 바로 이것이다-을 낳은 경향의 대표자가 아닌 것이다.

Eckert는 김성수 씨 일가가 초기 자본 축적 과정에서 물총새(Eckert는 당시의 친일적 지주들을 물총새라고 불렀다)가 되어 고창 일대의 소작인들을 어떻게 착취했는가를 상세히 보여주었는데, Marx 편에서 이미 언급했던 것이지만 다시 간추려 보면 다음과 같다.

소작인들에 대한 압력행사 방법으로는 수시로 소작인을 교체하며, 지세를 소작인에 선가하는 술책을 사용하고 마름들을 이용해 악독한 방법의 간접 통치를 행하며, 가격조작을 통한 매점매석으로 부를 축적해갔다. 이러한 일들이 1876-1919 사이에 벌어진다.

---

124) 막스베버, 사회경제사, 조기준(역), (삼성출판사, 1989), pp.219-283

당시가 이 민족에게 어떠한 시기였고 어떠한 일들을 겪고 있었는가는 삼척동자도 아는 일이다. 김씨 일가는 아직도 이 지역의 땅을 소유하고서 소작료를 받고 있다고 Eckert는 보고한다.125)

Eckert는 참으로 알 수 없는 사람이다. 김씨 일가가 동족의 고통에 아랑곳하지 않고 숙달된 솜씨(adept)를 가지고 정치, 경제적 기회주의(opportunism)로 1876-1919년을 살아갔다고 묘사한 바로 그 페이지에서 의병(righteous army)은 일반 백성, 특히 가난한 농민들의 지지를 받으며 그 활동을 전개해 나간다고 대조시키는 대범함을 보인다.126)

그러고서도 Eckert는 어떻게 이들을, M.Weber가 이야기하는, 근대적 기업가 정신을 가진 '윤리'의 옷을 입은 사람인 것처럼, 진정한 자본가로서, 조선 후기의 '금전욕에 찬 전통주의자'와 구별 짓는지 알 수 없다. 이후 경방 설립 후 그 노동자들에 대해서는 하루 2교대로 12시간 노동을 시키며 한 달에 30일간 노동을 하게 하며, 노동조건은 열악하여 분진의 체내 축적으로 심각한 신체장애를 유발시켰고, 임금은 생계유지에도 곤란할 정도로 지급하였다.127)고 에커트는 보고하고 있다.

이러한 상황 속에서 견디다 못한 노동자들의 요구에 대해서는 강경 탄압으로 맞섰고 여기에 일제의 경찰을 적극적으로 이용했던 것은 두말할 나위조차 없다.128)는 이야기는 에커트를 통해서 확인된다.

---

126) Eckert, 전개서, p.21

127) 상계서, pp.192-202

128) 상계서, pp.202-223

또한 당시에 김연수는 민족의 장래와는 상관없이 일제의 앞잡이로서(1943.12.6) 만주 명예 총영사로서 그 직분을 다하고 있으며[129] 김성수 씨는 '매일신보'에 황국 신민으로서의 책임을 다하기 위해 聖戰에 나가 죽음을 무릅쓰자는 글을 게재하였다.[130]고 Eckert는 보고하고 있다.

민족에만 해악을 끼친 것이 아니라 동아시아, 세계의 각 인류에 惡族 일본과 합류하여 인명 살상과 착취와 강간(정신대)의 공범이 된 것이다. 조지 힉스는 이 위안부의 80%가 한국 여성이었다고 보고한다.[131]

막스베버는 이미 그의 저서에서 서구 자본주의의 발전이 민족주의와 관련이 있음을 보여주고 있다는 점에서 김성수 씨 일가의 반민족적 행태의, 한국 자본주의 기여에 대한 Eckert의 이해는 M.Weber와도 상당한 견해 차이를 보이고 있음을 드러내 준다. 아래에서 이와 관련한 구절을 인용해보면 다음과 같다. M.Weber의 저서 '사회경제사'에서 '제4장 근대 자본주의의 성립' 중 '근대의 자본주의'라는 제목의 글의 일부이다.

"근대의 도시는 항상 권리를 위한 평화적 및 군사적 투쟁에 의하여 서로 경쟁하면서 민족국가의 권력의 손에 도시의 자유가 귀속되었다는 점이다. <u>이 경쟁적 투쟁은 근대 서구 자본주의의 발전에 대하여 최대의 기회를 주었다. 국가는 자유로운 유통 자</u>

---

129) 상게서, p.180

130) 상게서, pp.262-264

131) 조지 힉스, Comfort Women(London: Souvenir Press, 1995), 중앙일보 95.3에서 재 인용

본을 위하여 경쟁을 해야 했으며, 이 자본은 국가가 그 권력을 획득하는데 기여한 전제 조건이었던 것이다. 국가가 필요에 따라 자본과 결합함으로써 근대적인 의미의 부르주아지라는 민족적 시민계급이 탄생하게 된 것이다. 즉, 봉쇄적 민족 국가야 말로 자본주의에 대하여 그 존속의 기회를 보장해 주고 있다. 그것이 세계 국가에 자리를 양보하지 않는 한, 자본주의도 역시 계속 존속하게 될 것이다."132)

기든스나 그 밖의 역사 사회학자들에서 나타나는 자본주의와 민족주의 또는 민족국가와의 긴밀한 연계성에 대하여 막스 베버가 얼마나 비중을 주고 있는지가 잘 드러나는 구절이다. M.Weber의 위 구절을 대입시켜 볼 때 만약 일본이 세계 국가였다면 그리고 그 앞에 더 이상 자신의 민족국가를 고수하고 지켜야 할 어떠한 대의명분도 없었다면 한국 자본주의는 존속할 수 없었던 것이다. 따라서 막스 베버가 이러한 자본주의와 민족주의의 긴밀한 연계성에 대하여 논의한 것에 대한 깊은 이해가 있었다면 Eckert는 한국 자본주의의 기원을 究明하는 표본으로 김성수 씨 일가를 대상화하지 못했을 것이다.

이러한 것들로 볼 때 Eckert는 크게 두 가지 점에서 막스 베버와 관련한 오류를 범하고 있다. 먼저 M.Weber가 프로테스탄트인 프랭클린과 같은 기업가 및 근로자를 통해 〈윤리〉의 옷을 입고 등장하는 규범 부여적인 일정한 생활양식이라는 의미로 자본주의 〈정신〉을 바라본 것과는 달리, 이들 김성수 씨 일가는

132) 막스베버, 사회경제사(전개서), pp.336-337

Eckert 자신이 그들이 〈윤리의 옷〉을 벗고 있었음을 보여주면서도 오히려 이들에게서 한국 자본주의의 기원을 찾으려 했다는 점에서 또 다시 大家개념의 비일관적 적용의 오류를 범하고 있는 것이다.

특히 김성수 씨 일가가 보여준 형태의 해악성과는 거리가 먼 상인, 공인들을 전통주의 금전욕으로 매도했다면, 김성수 씨 일가에 대하여는 어떤 평가를 내려야 하는지는 당연한 것이다.

따라서 M.Weber 식으로 한국 자본주의를 바라본다면 이들이 아닌 다른 누군가 근대 기업가의 정신과 자본주의 정신을 담지한 이들에게서 현 한국 자본주의의 기원을 찾아보아야 할 필요성이 생기는 것이다. 그리고 주익종 씨의 논문에서 나타나는 것처럼 이러한 이들이 실제 존재하고 있었다는 것이다.[133]

그리고 두 번째 오류는 자본가와 민족주의의 관련성에 관한 것이다. 특히 이러한 점은 자본주의를 바라보는 관점에 있어서 마르크스와 상당한 차이를 보이는 것이다.

Eckert가 김성수 씨 일가를 통해 한국 자본주의의 기원을 규명할 수 있다고 보았을 가장 커다란 요인이란 이들이 근대적 기업화 및 산업화를 이루었다는 점에 있다. 그리하여 그는 그 이론적 토대로서 마르크스의 '자본주의와 산업화 또는 기술력의 연계' 개념 및 막스 베버의 '근대적 합리적 기업가 (전통주의나 금전욕과 구별되는)' 개념을 도입한 것이다. 그러나 이 둘 다 이미 도입 이전에 그 이해에 있어 편벽성 및 오류를 담지하고 있는 것으로 판명되었다. 여기에서는 앞에서의 마르크스의 자본주의 이해에 대한 Eckert의 오해 탐구과정처럼 막스 베버와 관련

133) 주익종, 전게서

해서도 이론적인 관점에서, 보다 심층적으로 그의 오류와 오해, 그리고 철학적 빈곤을 관찰해보도록 하겠다.

자본주의는 한 인간 집단의 수요 충족이 '기업'의 방법에 의하여 영리 경제적으로 이루어지는 경우에 존재하는 것이며, 이 경우에 그 수요는 어떠한 종류의 것이든 문제되지 않고 특히 '합리적'인 자본주의적 경영은 자본 계산에 의한 경영을 말하는 것이라고 M.Weber는 논의하였는데[134] 이러한 점에서 본다면 합리적 경영이 아닌, Eckert가 김성수 일가에 관해 자료로 보여준 착취 경영, 야합 경영의 김성수 씨 일가는 M.Weber가 인정하는 자본가로서 부족하며, 그 악덕과 관련하여서는 마르크스 입장에서 볼 때 진정한 자본가로 판명되어질 수 있다. 하지만 M.Weber식으로 민족주의가 들어오고 윤리의 개념이 상석을 차지할 때 김성수 씨 일가는 한국 자본주의의 기원의 기수로서의 자리를 잃고 마는 것이다.

M.Weber는 개별경제가 자본주의적으로 운영되는 범위는 여러 가지일 수 있다고 보았는데 그러한 점에서 김성수 씨 일가의 개별경제(一個 기업이긴 하지만 당시의 권위체 등과의 관계 및 여러 상황들을 감안할 때 일종의 개별경제라고도 명명할 수 있다고 본다)가 자본주의적으로 이루어졌다고 보는 것에 있어서까지 Eckert의 논의는 베버와 견해를 달리하는 것은 아니다.

그러나 베버의 논의대로 한다면, 우리가 한 시대를 전형적으로 '자본주의 시대'라고 부를 수 있는 것은 다음과 같은 경우에 한하는데 즉. 수요 충족의 기본적 부분이 자본주의적 방법에 의하여 이루어지고, 만일 이러한 자본주의적 방법을 제거한다면 모

134) 상게서, p.284

든 수요 충족의 조직이 괴멸되어 버리는 경우인 바, 개별경제를 넘어서는 수요 충족의 모든 조직에 대한 총괄적 이해가 필요하게 된다. 이 점에 있어서도 한국 자본주의에 대한 총괄적 이해 자세의 부족이 개별경제 하나를 통해 전체를 해석하게끔 만든 오류의 소지를 기초부터 제공한 것이다.

한편 주익종 씨는 Eckert 연구의 문제점을 다만 그것이 조선 사회 최상층의 거대 지주 자본을 배경으로 하여 처음부터 대자본으로 출발하였으며 또 일제 당국이나 일본의 대자본으로부터 많은 '특혜'와 '지원'을 받은 것이 특징적이어서 조선인 자본의 성장을 하나의 일반적인 경향으로 위치 지우기 위해서는, 이보다 불리한 조건 하에서도 조선인 자본이 근대 공업을 성공적으로 이식 발전시켜 갔던 것을 보일 필요가 있다고 본다. 예컨대 조선사회의 저변에서 보잘 것 없는 것으로서 출발하고 일제 당국이나 일본인 자본 등으로부터 별다른 지원을 받지 못한 경우에도, 조선인 자본이 근대 공업을 성공적으로 이식 발전시켜 갔던 것을 보일 필요가 있다[135]는 점에만 둠으로써 '특혜'와 '지원'이 차지하는 역할에 대하여 근본적인(radical:뿌리까지 탐구하려는)태도를 취하고 있지는 않는 것이다. 그리하여 그 개별성이 가지는 부분성과 전체에서의 괴리에 대한 이해 부족을 간과한 것이 된다.

한편 맹아론과 관련하여서 마르크스보다는 막스 베버의 논의가 그 실재성 판명에 더 도움이 된다. 막스 베버는 역사의 모든 시기에 있어서 여러 가지 형태의 자본주의가 나타났던 것이 사실이며, 다만 '일상생활의 수요'가 자본주의적 방법에 의하여 충족

---

135) 주익종, 전게서, p.7

된 것은 서구에서만 있는 일이고, 이 서구에 있어서도 겨우 19세기 후반기 이래의 일이었으며 그 밖의 시대에 있어서도 자본주의적 맹아가 과거의 수세기 동안에 있기는 하였으나, 그것은 단순한 선구에 불과하였다[136]고 논의하는데 이러한 점에서 본다면 조선 후기의 맹아도 한국 자본주의의 맹아의 원형으로서 인정할 수 있었음에도 불구하고, Eckert 교수가 이를 구태여 한국 학자들을 매도하면서까지 강력하게 부인하려 한 것은 그 논의를 뒷받침하기 위한 牽强附會적 논리였음을 알게 된다.

베버는 마르크스와 달리 노예제도가 자본주의에 별로 기여하지 않는 것으로 보는데 그는 16세기에서 18세기에 이르는 시기에 노예제도가 유럽의 노동 조직에 대해 갖는 의의는 유럽 내에 있어서의 부의 축적에 대해서 갖는 의의와 마찬가지로 근소한 것에 불과했으며, 이 제도는 다수의 이자 생활자를 낳게 했으나 공업적 경제 형태나 자본주의적 조직을 발전시키는 데 대해서는 극히 근소한 기여를 했음에 지나지 않는다고 본다.[137]

이렇게 본다면 이 땅의 민중을 노예처럼 부린 일제와 그 기수 김성수 씨 일가는 한국 자본주의에 대하여 기여한 바가 적은 것이다. 베버는 철저하게 자본주의의 본질이 착취에 있다고 보지 않고 합리적 노동 조직[138] 및 합리적 경영에 의한 이윤 획득에 있다고 보기 때문이다. 그러므로 김성수 씨 일가가 잉여가치 수취를 통해 이윤을 획득한 것은 근대 자본주의의 요건을 충족시키지 못하는 것이다. 소작인들과 노동자들에게서의 착취로 자본

136) 막스베버, 사회경제사(전게서), pp.284-285

137) 막스베버, 사회경제사(전게서), p.306

138) 막스베버, 사회경제사(전게서), p.315

축적과 자본 확대의 일부를 이루었다고 에커트가 상세히 설명해 준 보람도 없이, 베버는 이러한 것을 마르크스와는 달리 자본주의의 본질로 보지 않는 것이다.

또한 베버는 전쟁이 군대의 수요를 자극하였다는 이유로 전쟁 그 자체를 근대 자본주의의 성립에 대한 촉진력의 하나라고 생각한 것은 잘못된 개괄론에 불과하며 어쨌든 유럽에 있어서 뿐만이 아니라 모든 곳에서 전쟁이 자본주의의 담당자가 되었던 것은 물론 사실이지만 그 요소가 자본주의 발달에 대하여 결정적인 의의를 갖는 것은 아니라고 본다.[139]

이렇게 볼 때 전쟁이 어느 정도 자본주의에 기여한 것은 사실이라는 점에서, 일제가 대동아 공영권을 이루기 위해 군사 행정을 펴는 과정에 그것이 공업에 대한 고객이 되었으며 군대의 제복이 결코 군대 그 자체에서 생산되는 것이 아니고 다만 획일적인 규율에 대한 교련 수단이며, 군대를 통솔하기 위한 것인 바, 이 제복의 제정은 섬유 공업에 결정적인 영향을 미쳤으며[140] 그 과정에 경성 방직이 발전해 갈 수 있었다는 점에서 일본 제국주의의 자본주의와 관련이 있으며, 그 군대로 조선을 포함한 동아시아, 인류의 생존권을 위협하였다는 점에서 반인륜적이기까지 하여 역시 자본주의에 대한 M.Weber의 이론과 Eckert의 논의는 永炭不相容의 형세를 이루고 있다.

마르크스가 기술적 발명을 자본주의의 잉여 착취 과정의 자연발생적인 현상으로 보며 자본주의의 핵심적 사항으로 파악하지는 않는 것과는 달리, 막스 베버는 생산의 비용을 저렴하게 하

139) 상게서, p.313

140) 상게서, p.312

고, 가격을 인하함으로써 이득을 얻으려고 하는 자의 독특한 사고방식[141]과 결부되어 원가에 비하여 가격을 인하할 목적으로 기술과 경영을 합리화하려는 경향의 와중에, 17세기에 이르러 발명의 열광적인 추구가 발생되었고 따라서 당시의 모든 발명가들이 생산을 저렴하게 한다는 기치 아래, 창조에 종사한 것이었으며 에너지의 근원으로서의 영구기관을 발명한다는 것과 같은 사상은 이러한 일반적 노력의 많은 대상물의 하나에 지나지 않았으며 전 자본주의 시대의 대발명가인 레오나도 다빈치의 구상을 검토한다면, 그것은 생산을 저렴하게 한다는 관점에서가 아니라 기술 문제 자체의 합리적인 완성이라는 관점에서 그 구상이 계획되었음을 볼 수 있고, 또 그의 실험은 예술의 기반 위에서 이루어진 것이지 과학의 기반 위에서 이루어진 것이 아니었기 때문인데 이렇게 전 자본주의 시대의 발명가들의 勞作은 경험적으로 이루어진 것이며 대체로 우연성을 띤 것이었다[142]고 보는 바, 李朝(조선을 얕잡아보는 이 단어를 Eckert는 계속 쓰고 있다) The Yi state 말기 실학파에서 나타나는 기술 혁명에 대한 요구가 레오나르도 다빈치 식의 전 자본주의적 것이 아니라는 점에서 조선 후기의 자본주의적 맹아성은 부정(Eckert는 어찌 하든지 부정하고 싶어한다)되어질 수 없는 것이다.

박제가는 북학의에서 시장과 상업의 중요성은 물론 현대 경제에서 그 중요성이 점차 높아 평가되고 있는 유통 문제에 대해서까지 다음과 같이 이야기하고 있다. 여기에서는 어느 정도까지 베버의 이윤 중시 개념도 나타난다고 볼 수 있다. Eckert는 자

141) 상게서, p.314

142) 상게서, p.315

본주의의 핵심을 다음의 세 가지 즉 시장 관계, 생산 수단의 사적 소유, 기계화된 산업의 우세로 보았다. 위에서 보면 먼저 시장의 중요성을 논의하는 것에서 박제가 및 실학파의 생각은 자본주의의 맹아를 이루기에 충분한 것이다. 다음의 글을 계속 보면서 논의를 전개해보기로 한다.

연경 아홉 개의 문 안팎 수 십리 사이에 관부아문과 극히 작은 골목을 제외하고는, 모두 좁은 길로 양쪽 길 사이는 모두 시장이다.

....

우리나라 사람들이 중국 시장의 번창한 것을 보고 오로지 이익만 숭상한다고 하니, 이것은 하나만 알고 둘은 모르는 소치이다.

무릇 상민이 사민(士農工商)의 하나이지만 하나로써 셋에 통하는 것인즉, 10분의 3이 된다.

....

무릇 물건이 있으나 허비하지 않는 것이 검소요, 자기에게 모든 것이 없다고 끊어버리는 것이 검소는 아니다.

이제 나라에 구슬을 캐는 집이 없고, 시장에는 산호 같은 값진 보배도 없다. 금, 은을 갖고 상점에 들어가서 떡을 사지 못하니 어찌 그 풍속이 진실로 검소를 좋아한다고 하겠는가? 그것을 사용하는 방법을 알지 못할 뿐만 아니라 그것이 쓰이는 곳을 모른다. 무릇 재물은 샘에 비유된다. 사용하면 가득하고 폐하면 고갈된다. 그런고로 비단옷을 입지 않으면 비단 짜는 사람이 없어지고, 따라서 여공도 쇠할 것이다.

비뚤어진 그릇을 탓하지 않으니 일에 기교가 없고, 나라의 공장과 도야의 일에 기술과 재주가 없어질 것이다.

…………

우물이 비록 크나 반드시 돌에 구멍을 뚫거나, 혹은 나무로 덮어서 샘물이 나오는 구멍을 작게 해서 빠지거나 먼지가 들어가는 것을 막게 했다.

도르레를 설치하고 두 개의 물통을 새끼에 달아서 한쪽이 왼쪽으로 돌면 한쪽은 오른쪽으로 돌아서 한쪽이 위가 되면 한쪽은 아래에 있어 그 힘이 배가 된다.143)

위에서 보듯이 박제가는 이렇게 상업, 시장, 유통의 중요성만이 아니라 소비에 관한 일가견도 보이고 있다. 아울러 레오나르도 다빈치의 기계 발명의 이유와는 다른 실제적 이유로 기계의 중요성을 이야기하고 있는 것이다. 이들이 바로 조선의 실학파인 것이며 그 사상은 맥이 끊이지 않고 조선조 말로 이어지며 근대 한국 경제의 토대가 되어진다. 이에 관하여는 뒷부분에서 다시 논의하도록 하겠다.

기계화와 기술의 중요성에 관하여 다른 부분에서도 강조하고 있다.

또 신이 들으니 큰일을 이루자면 작은 혐의는 피하지 않는다 합니다. 여우같은 의심으로 뒤돌아보면 무슨 일을 올바르게 판별하겠습니까. 이제 박옥을 얻으려고 공인을 이웃 나라에서 구

143) 박제가, “북학의”, 한국의 근대사상 (삼성출판사, 1989), pp.293-294

해야 하면서 말하기를 "자기를 모모할까 두렵다" 하면 옳겠습니까?

신이 들으니 중국 흠천감에서 책력을 만드는 서양인들은 모두 기하에 밝았고, 이용후생의 방법에 정통했다 합니다.

국가에서는 진실로 관상감의 비용으로 그 사람들을 초빙하여 두고 우리나라 자제들로 하여금 천문, 전차, 종률 의기의 도수와 농상, 의약, 한재, 수재, 건조, 습도를 알맞게 함과 벽돌을 만들어서 궁실, 성곽, 교량을 축조하는 법과, 구리광을 캐고, 옥덩이를 캐며, 유리를 굽는 것과, 외적을 방어하는 화포를 설치하는 것과, 관개하는 법이며, 수레를 통행시키고 배를 꾸며서 나무를 베든가, 돈을 운반할 때와 같이 무거운 것을 멀리 운반하는 방법 등을 배우게 한다면 몇 해 가지 않아 세상을 다스리는데 알맞은 인재가 될 것입니다.

공공 부문에서의 논의를 많이 하고 있기는 하지만, 전체적인 의미에서 볼 때 이러한 논의는 베버가 말하는 기술과 기계화의 기반으로서의 충분한 발상이 되는 것이다. Eckert는 김성수 씨 일가에 가서야 이러한 기계화, 기술의 중요성이 인식되고 그것도 일본에서의 경험과 일제의 도움으로 되어진 것으로 보았시만 위에서 보듯이 이미 18세기 조선의 선진 학자들 사이에서는 이러한 인식이 확산되어 있었고, 일제의 개입이 아니었다면 더욱 더 왜곡되어지지 않은 형태로 서양의 문물을 받아들이고 스스로 연구개발하면서 자생적 발전을 해갔을 것이다고 보는 것이 옳다. 이는 6.25 후 모든 것이 파괴된 상태에서 다시 일어나서 한강의 기적을 만든 데서도 잘 나타난다. 조선 민족의 기저에 이러한 실학 정신이 있었다.(역사에서 가설은 불가하다 하지만 추론은 가능하다고 본다) 베버는 자본주의의 발달 과정이 단지 서구에서만 나타났다고 한다. 그러나 이는 베버가 동아시아의 여러 나라잘 이해하지 못한 데서 온 오해라고 본다.

베버는 자본주의의 발달과정이 단지 서구에서만 나타났다고 한다면, 거기에 대한 근거는 서구에서만 볼 수 있는 특유한 일반적 문화발달의 특정한 양상에서 찾아야 한다고 보는데 서구만이 법치와 전문적 관리제도 및 국가 시민권을 수반하는 근대적 의미의 국가를 가졌으며 고대나 동양에도 이러한 것에 대한 맹아는 있었으나 그것은 완전한 발달을 이룩하지는 못하였으며, 또한 걸음 더 나아가서 서양만이 현대적 의미의 과학을 가졌고 동양에서는 합리적인 과학, 합리적인 기술은 결국 그들 문화에선 알려지지 못했으며 인생의 종교적 기초는 그것이 궁극적인 점에서는 독특한 합리주의에 도달하지 않으면 안되는 것인 바 이것 역시 서구만이 갖고 있는 고유의 것이 되어 서구 자본주의의 역사적 여건이 되었다[144]고 본다.

여기서 인생의 종교적 기초는 서양 세계가 이스라엘로부터 받은 것이며, 이는 예수 그리스도의 지상 명령으로서 온 세계에 퍼져야 했으며, 그것이 아시아로 들어오는 것은 시간 문제였다. 그리고 중국과 일본에도 갔지만, 결국 조선에도 들어와 실학 등에 많은 영향을 미친 것이 바로 이러한 기독교적 세계관이었다.

시민권 문제에 있어서는 베버의 논의가 타당하나 법치 및 전문적 관리제도, 합리적 과학, 합리적 종교 등에 있어서 서양과 동

144) 상게서, p.316

양의 근본적 차이를 강조하려는 것은 부당하다고 보여지는데 이러한 점은 이 글에서 자세히 논의하지는 못하는 점이 안타까우나 이러한 점을 차지하고서라도 베버의 논의를 어느 정도 받아들인다면 한국 자본주의가 성립되기 전인 조선 후기에 있어 합리적 과학 및 합리적 종교가 서구로부터 도입되었다는 점에서 그리고 선구자들에 의해 이미 18세기에 그 수입과 접목이 강력하게 시도되었다는 점에서 이미 한국 자본주의의 역사적 여건이 존재했다고 볼 수 있는 것이다.

특히 자본주의 정신과 관련하여 프로테스탄트윤리를 연계시키는 베버의 논의로 볼 때 구한말에 활약한 선구자들의 태반이 여기에 연루되었다는 점에서도 한국 자본주의는 이미 이들에게서 시작되고 있었다고 보아야 하는 것이다. 따라서, 한 개 기업이 산업화되어 근대적 기업조직으로 변모하였다는 것에 착안하여 그들에게서 한국 자본주의의 기원을 찾기보다는 조선 실학파에서부터 이어지는 개혁 세력 및 신학문에 접속되고 기독교 등에 연루된 선각자들 및 그들의 사상적 행위적 영향 하에서 기업 활동을 해 간 일단의 세력 및 이들을 지지한 광범위한 국민에게서 한국 자본주의의 기원을 찾아야 할 것이다.

특히 베버는 동양에 경제적 개념의 시민이 없다고 보았는데[145] 구한말이 넘어가고 일제 치하로 들어가면서 봉건세가 타파되어지는 과정에 특정한 정치적 권리 담당자로서의 특성을 가지는 '국가 시민'[146] 의식의 체화가 이루어지며, 국가 독립과 관련한 경제 책임자로서의 경제적 개념으로서의 '경제적 시민'

---

145) 상게서, p.318-319

146) 상게서, p.318

의 의식이 체화되어 갔다고 볼 수 있다.

또한 동양에서의 자본주의의 발생에 방해 요인이 된 '주술'[147]도 서구 종교의 급속한 확산으로 그 신속한 해체를 경험하게 되어 한국 자본주의의 발생에 방해력을 상당히 상실하게 된다고 막스 베버는 본다.

하지만 조선에서는 주술의 영향보다는 유교의 영향으로서 조선 초기부터 과학과 기술의 발전에 조선 정부의 노력이 지속되고 있었다는 점을 막스 베버는 알지 못하고 있다.

그런데 오히려 일제의 간계가 스며드는 과정에 일제는 신사참배 강요 등으로 합리적 기독교 확산의 방해자로서의 역할을 하게 되는 것이다.

한편 현재 많은 연구가 이루어지지 않았지만 개연적인 결론이 되어지는 것으로는 평양 공업체에서 나타나듯이 기독교가 한국 자본주의 발전에 상당한 영향을 미쳤다는 것이다.[148]

위의 사실들을 종합해 볼 때 한국 자본주의의 기원은 오히려 막스 베버의 이론과 상당히 일치하는 점이 있다. 즉 Eckert의 논의와는 달리 조선 후기에 전통주의적 요소만 있었다기보다는 기술 혁신 및 상업, 자본 축적에 대한 이론적 토대들이 조선 초기부터 이어져 온 과학 및 기술 중심의 통치와 이후 조선 후기의 실학파를 중심으로 형성되어 있었고, 구한말로 가면서 민족주의에 입각한, 최소한 정치적 개념으로서라도 국가 시민 의식이 국민 전체로 확산되어졌으며 경제적 시민 개념도 일제의 강점과 대항하여 그 의식화 및 실천화가 강화되어졌다는 것이다.

---

147) 상게서, pp.324-325

148) 주익종, 전개서, pp.18-38

또한 서구 종교 및 서구 학문의 유입으로 합리적 정신은 더욱 확산되어졌던 것이다. 대한민국이 동아시아에서 가장 높은 기독교 신자 비율을 지니고 있음은 이를 증명한다. 즉 오히려 6.25 이후의 한국 자본주의의 발전은 막스 베버식으로 본다면 한국 기독교의 폭발적 성장과 맥을 같이 하고 있는 것이다. 기독교가 이렇게 대규모로 6.25 이후 대한민국에 전파된 것은, 대한민국 국민들이 가진 하늘을 두려워하는 심성과 합리성이 그 토양이 되었다고 본다. 경천애인의 사상은 대한민국 국민에게 깊었고, 인내천 사상도 민주주의 확산에 기여했다. 이런 사상들은 프로테스탄티즘 기독교리의 핵심이다.

그 결과 자본주의의 몇 가지 핵심인 합리적 노동조직, 합리적 경영, 그에 따른 기술 혁신, 민족주의, 합리주의 및 윤리성 등이 반일제적으로 심화되었고 이후 해방을 거치고 근대화 과정에 토대가 되어진 것이다.

조선 말에 발생한 유교와 기독교의 충돌은 기독 교리를 잘못 전파한 프랑스의 구교나 미국 등지의 개신교 선교사 등과 연계되며 이는 조상을 중시하고, 효도와 임금에 대한 충성을 강조하는 유교 전통과 오히려 부합하다는 것이 드러나면서 일제 강점기를 거쳐 6.25 이후 대한민국 내에서 폭발적으로 성장하였다.

기독교 교리는 권위에 순종하며, 부모를 공경하는 것을 강조한다. 그리고 프로테스탄티즘의 윤리에서 나타나듯이 성실과 정직 근면함을 강조하는데, 한국 개신교의 폭발적 성장은 한국 자본주의가 6.25 이후 성장하는 데 크게 기여하였다.

특히 초대 이승만 대통령을 포함하여, 일제 시대의 상당수 독립 운동가와 지도자들이 프로테스탄트 신자가 됨으로써 이러한 확산의 기초가 되어주었다. 박정희 정권에서 산업화 시도가 성공적으로 정착한 데는 이러한 정신적 배경이 컸고 이는 막스 베버가 프로테스탄티즘의 윤리에서도 잘 드러나는 바다.

이러한 논의는 주익종씨의 전게 논문에서도 잘 나타나고 있다. 따라서 이러한 여러 사항들을 무시하고, 반민족적, 착취적 기업 행태를 벌인 一個 기업에 의해 한국 자본주의가 시작되었다고 보는 Eckert의 견해는 막스 베버의 입장에서 볼 때 타당한 논리를 지니고 있지 못하며, 그 논저에서 가끔씩 베버를 인용하여 자신의 논지를 강화하려 한 것은 오히려 그 원용의 편벽성, 몰이해를 드러낼 뿐이다.

박정희 군부 정권기를 지나면서 기독교는 다시 노동자의 권리 보호와 시민 권리 확대를 위한 투쟁에 나서면서 민주화 운동의 기초를 담당하게 된다. 그러나 반면 기독 교리 중 왜곡된 형태로 전파되어지고, 군부와 기독 지도자들의 야합으로 인한 폐해가 아직도 청산되고 있지 못한데, 이를 극복한다면 한국 자본주의는 서구 자본주의가 당면한 빈부 격차와 양극화 등의 문제를 해결하면서 진정한 프로테스탄티즘의 윤리를 이루어내는 모범적 자본주의 국가로 성숙될 수 있을 것이다.

이는 중국의 대국 부상과 일본의 제국주의화에 맞선 선한 국가로서의 대한민국의 발전이 다시 세계사에 기여하는 데 쓰임받는 초석으로 역할할 것이다.

서구 자본주의가 처음부터 제대로 발전해간 것이 아니고, 많은 모순과 갈등과 투쟁과 전쟁 속에서 성장해갔듯이, 한국 자본주의도 그러한 과정을 겪을 것이며, 이는 아시아의 저개발 국가와 남미와 아프리카 등에도 모범이 될 것이며, 사회주의 국가에도 막스 베버가 논하는 합리적 종교로서의 개신교를 전파하는 데도 기여할 것이며 이는 세계 평화에도 이바지하는 기초가 될 것이다.

먼저 된 자 나중되고, 나중 된 자 먼저 된다 하신 예수 그리스도의 말씀이 대한민국에 이루어질 것이다.

그 기초는 돈을 사랑하는 서기관과 바리새인 식의 기독교가 아니라, 경천애인의 기독교인들이며, 그 이론적 토대다.

이 책, 죽은 겨자씨 한 알을 쓴 1996년 이후 많은 고민과 연구 그리고 선거 참여와 아리랑당이라는 정당 창당 과정을 통하여 필자 김광종은 이를 위해, 장단주기분배로 –생활수단 및 생산 수단의 장단주기 복합 분배론- 이라는 책을 썼다.

이는 마르크스의 자본론과 헨리 조지의 진보와 빈곤을 넘어서 진정한 분배, 선한 분배, 정의로운 분배, 지속적 발전을 위한 분배의 문제에 대한 답을 찾은 책이다.

3. T. Veblen의 관점에서의 비판

Eckert는 Veblen의 다음과 같은 이야기를 인용한다.

“The material framework of modern civilization is the industrial system...This modern economic organization is the ‘Capitalistic System’ or ‘Modern Industrial System’ so called. Its characteristic feacher, and at the same time the forces by virtue of which it dominates modern culture, are the machine process and investment for a profit.” [149)]

우리 말로 번역하면 다음과 같다. “근대 문명과 물적 토대는 산업체계이다. 이 근대 경제 조직은‘자본주의 체계’ 혹은 소위 ‘근대 산업 체계’이다. 이것의 특징적 성격과 동시에 이것 때문에 이것이 근대 문화를 지배하는 힘은 기계화 공정과 이윤을 위한 투자이다.”

이 인용에 곧이어 Eckert는 Veblen의 생각이 마르크스 자신에 의하여 이미 얘기 되어진 것 말고 더 말하는 것이라고는 아무 것도 없다고 쓰고 있다. 그렇다면 구태여 베블렌의 논의는 따져 볼 필요가 없다. 왜냐하면 이미 마르크스의 이론을 살펴본 바와 같이 Eckert는 마르크스를 오해하고 있었기 때문에 그 부분집합인 베블렌의 생각에도 마찬가지의 오류를 범하고 있는 것이 되기 때문이다.

따라서 여기에서는 이 논의를 다시 하기보다는 베블렌의 자본

---

149) Eckert, 전게서, p.4

주의에 대한 이해, 즉 Eckert식의 호의성 여부를 살펴보는 것으로 이를 대신하려 한다. 위의 인용문은 “The Theory of Business Enterprise (Clifton, N.J. : Augustus M.KELLY, 1973), P.1"에서 인용된 것인데 자본주의에 대한 베블렌의 기본적 이해는 오히려 그의 대표작이라 할 수 있는 "The Theory of Leisure Class" (한글 번역판 "한가한 무리들, 동인출판사, 1995)[150]에서 잘 드러나고 있으며 따라서 여기에서는 이 책에서 나타난 베블렌의 생각과 모습들을 살펴보면서 Eckert의 논의를 비판하도록 하겠다.

먼저 존 케네서 갈브레이스가 베블렌에 관하여 이야기하는 것을 살펴보겠다.

‘확실히 미국의 사회 사상에는 미국의 제도에 대한 모든 비판과 언급을 베블렌에서 출발한 것으로 돌리려는 전통이 존재한다. 마치 헌신적인 마르크스주의자에게 의미하는 마르크스와 비슷한 어떤 것이 베블렌의 경우에도 있었던 모양이다. 그렇지만 마르크스주의자들은 자신들의 주제에 대하여 더욱 잘 알고 있는 것 같다. 실제로 오늘날 무엇인가 흥미 있는 것을 말할 때마다 베블렌이 이미 좀 더 훌륭하게 말했던 것이라고 베블렌을 유창하게 인용하는 것보다 지직 허영심을 충족시키는 일이 있을 수 있는가.’

Eckert의 베블렌 인용이 이런 것이 아니었기를 바란다.

---

150) 존 케네스 갈브레이스는, 19세기 미국 경제학자가 쓴 책으로 지금까지 읽히고 있는 것은 딱 두 권뿐이며 하나는 헨리 조지의 〈진보와 빈곤〉이며, 다른 하나가 바로 이 〈한가한 무리들〉이라고 소개하고 있다. 상게서, p.11

갈브레이스는 또 다음과 같이 적고 있다.

"베블렌은 개혁가가 아니었기 때문에 주위의 적대적 세계 속에서도 정치적인 면책권을 누릴 수 있었다. 프롤레타리아나 억압받는 이들, 혹은 가난한 이들을 위해서 그의 가슴은 뛰지 않았다. 그는 가슴에 증오를 품은 사람이긴 했지만 혁명가는 결코 아니었던 것이다.

베블렌이 품은 증오의 기원은 주로 그의 출신과 관련된 것으로 설명된다. 그는 이민 온 부모의 아들로 태어나 변경 지방에서 가혹한 생활을 체험했다. 어떠한 사회적 기준에서 보든지 스칸디나비아인들이 2등 시민밖에 안 되던 시절에 그는 이런 일들을 겪었던 것이다. 단지 피부색만으로는 쉽게 구별될 수 없다는 점만이 유일한 위안이었다. 이런 배경을 가진 사람이 압제자들에게 대항한다는 것은 너무도 당연한 일이었다. 〈한가한 무리들〉은 바로 베블렌 자신과 그의 아버지가 당해야 했던 학대에 대한 그의 복수였다.

그러나 지금까지 알려진 이러한 주장은 모두 베블렌을 오해한 말들이다. 그의 증오는 분노나 원한에 근거를 둔 것이 아니라 비웃음에 근거를 둔 것이다."

Eckert는 베블렌이 자본주의의 핵심 세력으로 관찰한 이러한 한가한 무리들에 대한 이해를 제대로 하고 있었는지 의심이 간다. 김성수 씨 일가는 베블렌의 비웃음에 근거를 둔 증오의 대상이었기 때문이다. 베블렌은 문화적 진화의 흐름 속에서 유한계급의 출현은 소유권의 시작과 동시에 일어나는데 그 이유는 이 두 제도가 똑같은 경제력의 상황에서 나온 것이기 때문이며 그 발전의 초기 단계에서 이 두 제도는 사회 구조상 동일한 일반 사실의 서로 다른 모습일 뿐이라고 보고 있다. 또한 유한계급과 노동계급을 구별하게 된 초기의 분화는 낮은 야만문화단계에서 남자와 여자의 일 사이에 유지되었던 분업에서 시작되었고 소유권의 최초의 형태도 그와 마찬가지고 공동체의 건장한 남자가 여자를 소유한 데어서 비롯되었다고 보고 있다.151)

또한 아무리 보잘 것 없는 발전 형태라 하더라도 사유재산제도가 발견되는 곳이라면 어디나 그 경제적 과정이 재화를 소유하려는 인간 사이의 투쟁이라는 성격을 띠게 되며 부를 향한 이러한 투쟁은 의심할 여지 없이 초기의 효율적인 생산 단계의 특징이라고 보며, 이것은 또한 자연이 극히 인색해서 얼마 되지 않는 생활 재료라도 얻으려면 계속 격렬한 노동을 쏟아야 하는 모든 경제적 과정의 특징으로 본다. 그러나 발전하는 모든 사회에서는 기술적 발전이 이러한 초기 단계를 훨씬 뛰어넘어 향상되며 이제는 생산의 효율이 생산과정에 종사하고 있는 사람들에게 단순한 생활자료보다 훨씬 많은 것을 제공해 줄 정도로 높아졌고 경제이론이 이러한 새로운 생산의 기초 위에 이루어지는 부를 위한 치열한 경쟁을 가리켜 생활의 안락을 위한 경쟁 - 주로 재화의 소비가 제공하는 육체적 안락의 증진을 위한 경쟁 - 이라고 말하는 것은 생소한 일이 아니다152)라고 쓰고 있다.

Eckert가 자본주의의 핵심 중의 하나라고 볼 생산 수단의 사적 소유는 야만 단계에서부터 있었던 것이며 자본주의의 한가한

---

151) 상게서, p.57-58

152) 상게서, p.59

무리들은 고상한 사람들이 아니며, 재화의 소비가 제공하는 육체적 안락의 증진을 위한 경쟁을 하는 무리들에 지나지 않는다고 보고 있는 것이다. 남원부사 변학도와 동류인 것이다.

그리고 기계화, 산업화라는 것도 인간의 제작 본능의 귀결인 것으로 베블렌은 보고 있으며 이는 마르크스가 기계의 진화 과정을 바라본 관점과 크게 다를 바가 없는 것이다.

따라서 베블렌 인용 시에도 좀 더 철저한 이해를 바탕으로 한 논의가 요구되어졌던 것이다.

인간의 몸은 어떤 기계보다 정밀하다. 진화론에 기반하여 고대 원시인이 되어버린 인류의 조상들의 몸은 지금까지 인류가 개발한 어떤 기계보다 정교하다. 인간의 몸을 구성하고 있는 원자와 분자의 세계도 인류는 아직 다 알아내지 못하고 있다.

양자역학과 상대성이론을 통해 이를 해석해가고 있지만, 인간의 몸은 다시 우주와 연계되어 있다. 우주로부터 오는 햇빛을 받지 못하면 인간의 몸은 또다시 여러 문제에 봉착하게 된다. 우주로부터 오는 산소와 여러 자기장에 문제가 생기면 인간의 몸, 그 정밀한 몸은 제대로 기능할 수 없다.

이토록 정밀한 몸을 사용하면서, 그보다 못한 기계화 산업화를 통해 인간 세계의 자본주의에 대해 개념 규정하려고 하는 것은 그만큼 어리석은 것이다.

톨스타인 베블렌이 말하는 한가한 무리들은 이토록 정밀한 몸을 지닌 인간들을 착취하는 또다른 어리석은 인간들에 대한 비판이다.

현대 자본주의는 이 한가한 무리들의 탐욕에 기반하여 더욱더 발전해가고 있다. 마치 바벨탑을 쌓아가는 것처럼.

성경에 나오는 것처럼, 모든 경제 활동의 근간은 바로 경쟁심과 과시욕에 근거하고 있다. 이를 근대 기업들이 더욱더 마케팅에 활용하면서 필요 이상의 물품들을 계속해서 생산해가고 있다. 상층부의 소비자들이 소비하는 것을 보면서, 그들의 소비를 광고와 일상에서 보면서, 중층 소비자들이 다시 추종 소비를 하게 된다. 그리고 하층은 짝퉁으로 소비를 확대시킨다. 이런 구조를 만들어냄으로써 영구히 소비 세계를 장악하려 드는 것이 바로 자본주의 기업들이다.

더많은 소비를 충족시키기 위해 더많이 생산하기 위해 더 많은 기계화와 산업화를 도모한다. 그러나 이는 결코 그 소비자인 인간의 몸의 기계적 탁월성에 도달할 수 없다.

자본주의든, 사회주의든 인류 역사에 기여하지 못하는 것이라면 아무 소용이 없는 것이다. 따라서 Eckert 교수는 이런 관점에서 자본주의에 대해 고찰했어야 한다. 그것이 최소한 Veblen을 인용하는 기본적 예의다. Eckert 교수는 같은 미국의 시민권자로서 Veblen이 가졌을 고민을 공유하고 한국 자본주의 연구에 나섰어야 한다.

이것을 제대로 해내지 못한다면 21세기에, 사회주의 국가 중국에게 추월당하는 일이 미국에게 일어날 것이다. 이념적 우월성, 도덕적 우월성은 경제적 우월성을 영구히 유지하게 해주는 토대임을 Veblen은 증명하고자 했을 것이다.

한국의 학자들에게 따끔한 충고를 Eckert 교수가 하셨으니 나도 이렇게 충언으로 고하는 바이다. 남의 나라 일에, 그것도 민족주의를 훼손하면서, 그 잘난 자본주의의 기원을 찾아주려고, 간악한 일제 강점기의 탁월한 기여를 입증해주려는 눈물겨운 노력이, 대한민국에서 아직도 그 한을 해소 받지 못한 위안부 할머니들이나 강제 노역 피해자들이 살아 계심을 기억하는 것이 학자로서의 기본 소양일 것이며, 진주만 폭격에 나선 일제에 의해 희생당한 젊디 젊은 미군 선열들게 대한 예의인 것이다.

베블렌과 관련한 논의는 이 정도에서 마치기로 하고 다음은 역사사회학적 관점에서 비판해 보도록 하겠다.

4. 역사 사회학적 관점에서의 비판

국가들의 국내문제와 대외문제를 별개의 수준으로 떼어놓고 보면 그 어느 것도 제대로 파악하기 어려워지며 정치학 또는 국제정치학의 상당수 이론들이 근대 정치 세계에 대한 이러한 종합적이고 거시적인 이해를 가능케 해주지 못한다는 문제의식에서 출발하여 근대 세계의 거시적 해명을 위한 관점을 제시하고자 했던 역사 사회학적 이론들을 통해 한국 자본주의의 기원을 연구해 볼 수 있다는 점에서, 여기에서는 이러한 관점을 통해 Eckert의 논의를 비판해 보고자 한다.

특히 이러한 역사 사회학적 이론에서는 자본주의가, 근대 국제체제 형성기에 있어서 개별 국가 수준에 있어서의 변화가 국제체제의 강화에 영향을 미치는 과정에서 산업주의 및 민족주의 등과 함께 어떠한 역학관계에 있었는지를 잘 보여주고 있으며 이러한 것은 Giddens, Poggi[153] Charles Tilly[154] 등의 작업들에서 잘 드러난다. Giddens는 The Nation-State and Violence라는 저서에서 자본주의에 관한 여러 사려 깊은 역사 사회학적 통찰을 보여주고 있다. 따라서 이를 통해서도 Eckert 式 논의의 여러 문제점들이 비판되어질 수 있다.

Giddens는 자본주의의 개념에 대한 논의가 시대에 따라 다양한 변화를 겪어 왔다고 밝히며 마르크스, 막스 베버의 개념을 재분석하며 그 定義를 시도한다.[155] Giddens는 여기에서〔자본

---

153) Pogi, Gianfranco, 근대 국가의 발전, 박상섭(역), 1994

154) Charles Tilly, Coercion, Capital and European States, AD 990-1990 (Oxford : Blackwell, 1990)

주의적]이라고 규정할 수 있는 사회 형태의 본질에 대해서 극히 초보적인 해답밖에 제시할 수 없지만 분명한 것은 어떤 자본주의 사회에서도 산업화가 결여된 경우는 없으며, 민족국가 혹은 국민국가(Nation-state)를 형성시키지 않은 경우가 없다고 강조한다.[156] 산업화 측면에서는 Eckert와 일치하나 민족 국가 형성의 차원에서는 정반대의 견해이다. 오히려 일제의 한반도 식민 정책은 한국 자본주의의 태동에 도움을 주려는 의도보다는 일제 자신이 서구 제국에 대항하여 Nation-state를 이루어가기 위해, 산업주의가 연계된 산업자본주의를 펼쳐가는 한 과정에 이용하였던 제국주의의 전형적 예가 되는 것이다. 그렇다면 한국 자본주의는 Giddens의 이러한 명제에 어떻게 부합되어질 수 있는가를 살펴보는 것이 필요하다.

Eckert가 자본주의와 산업화를 연결시킨 것은 Giddens와 일치하나 Nation-state와 연계되는 문제는 Giddens와 일치되어 보이지 않는다. 그가 말하는, 한국 자본주의에 기여하였고 촉진제가 되어주었다는 일제가 과연 대한민국이라는 Nation-state의 창설과 존속과 번영을 바라면서 1876-1945에 한반도를 통치한 흔적이란 그 어디에도 없기 때문이다. 또한 그 기수가 되었다고 보는 김성수 氏 일가도 대한민국의 창설과 존속을 위한 행태를 했다고 Eckert는 결론 내리고 있지 않다. 그는 오히려 이들이 일제 말기로 갈수록 내선일체의 선도자가 되어 국내의 존경을 잃고 외부에서 힘을 얻었다고 말함으로써 이들이 대한민국이라는 Nation-state와 관계가 더욱 멀어져 간 황국신민이었

155) A. Giddens, 전게서, pp.122-147

156) 상게서, p.135

음을 보여준다. 그렇다면 이들은 오히려 한국 자본주의의 기원을 이룬 사람들이라기보다는 일제 자본주의의 한반도 지역 經濟人 역할을 한 사람들로 평가하는 것이 옳다.

또한 박상섭 교수의 글157)에서도 자본주의 및 산업주의와 이데올로기로서의 민족주의가 어떻게 긴밀하게 연결되어졌는가를 보여주고 있는데 이와 관련해 볼 때도 김성수 氏 일가의 행태는 민족주의와 거리가 멀다는 점에서 Eckert의 논의는 한계를 가지고 있다고 하겠다. 특히 근대국가의 형성과정에 자본주의 및 산업주의가 군사 중심성과 긴밀히 연결 되어진 면에서도, 한반도의 독립을 위한 많은 무장 투쟁과는 이 일가가 관련이 없었고, 오히려 황국신민으로서의 멸사 봉공의 자세를 견지하려 했다는 점에서 대한민국의 시민으로서의 민족주의 의식은 가지지 않았으므로 '한국' 자본주의의 기원에 관련된 사람들로 평가받기는 곤란하며 차라리 '한국' 이라는 수식어를 제외시키고 '일본' 이라는 용어를 대신 붙이는 것이 논리적 타당성이 있다고 본다.

그러면 여기에서는 좀 더 자세하게 서구에서의 근대국가체제와 자본주의의 상관관계를 살펴보면서 Eckert의 논의의 기반으로서의 이론적 토대의 허약성을 알아보도록 하겠다.

근대국가가 갖는 가장 두드러진 역사적 성격은 일정 영역 안에서 물리적 강제력=군사력을 효과적으로 독점하고 이 기반 위에서 대내외적으로 주권을 실질적으로 주장한다는 점에서 찾을 수

157) 박상섭, "근대 국제체제의 사회학을 위한 시론", 한국정치학 회보, 제25집 제11호(1991), pp.467-493 - 근대국가의 군사적 기초, '정경세계', 국제사회 과학 학술연구소

있다고 본다[158]면 일제 강점기의 우리의 상황과 김성수 씨 일가의 행태와는 상당한 거리가 있는 것이다.

한편 이러한 근대 국가들의 주권적 위치가 확립된 것은 수세기에 걸친 수많은 독립적 정치조직들 사이에 이루어진 무력과정을 통해서 이루어진 것이다. 당시의 전자본주의적 자연경제의 기반위에서 성립한 봉건제적 분산적 정치 질서는 무력수단의 소유가 곧 생산 수단 소유의 기반이 되고 또한 무력이 잉여생산 수취의 직접적 수단이 되던 모든 전자본주의 사회와 같은 특성을 드러내었다. 즉 정치과정은 경제과정과 별도로 이루어진 것이 아니라 정치 권력이 경제 질서의 편성에 직접 개입함으로써 사회적 부의 생산과 분배에 관한 질서의 성격을 규정하는 힘으로 작용했던 것이다.[159]

이렇게 무력이 잉여 수취의 직접적 수단으로 사용되던 전자본주의적 사회질서의 성격은 근세 초 점차로 지배적 정치조직으로 나타나기 시작한 초기의 근대국가, 즉 절대주의 국가들의 전쟁지향적 성격에서 그대로 이어졌고 이러한 초기 근대국가들의 성격은 근대국가들의 성장 기반인 봉건제적 사회 경제 질서에 의해 규정된 것으로 이해된다.

이렇게 무력의 직접적 사용이 잉여 수취의 기본적 수단이었다는 사실은 중세 유럽은 폭력이 사회 전반에 분산된 형태로 널리 침투해 있던 사회였다는 사항을 잘 설명해 주고 있다. 이러한 수 세기에 걸쳐 진행된 무력과정을 통해 근대적 절대군주를 중심으로 하는 권력 집중화 현상, 즉 절대주의 체제가 확립되게

---

158) 박상섭, “근대 국제체제의 사회학을 위한 시론”, p.476

159) 상게서

된 것은 그러한 무력과정에서 승리하거나 아니면 최소한 살아남는 데 필수적으로 수반되는 효과적 자원 동원 노력의 결과로서 이루어진 것이었다. 이렇게 전쟁과 관련된 자원 동원의 필수성을 매개로 하여 근대 주권 국가 체제와 근대 다국가 체제적 국제관계는 우연적으로 결합된 별개의 과정이 아니라 서로 표리관계를 이루면서 발전되어 온 하나의 역사적 과정으로 이해되는 것이다. 바로 이 점에서 우리는 국제관계와 국내구조의 불가분한 연결관계를 주장할 수 있는 것이다. 따라서 근대 국제 체제의 역사적 성격 및 그 구조 변동은 그 구성단위인 국가들을 기본 틀로 하면서 이루어져 온 물적 자원 및 인적 자원 그 자체 또는 동원방식의 변화에 맞추어 설명되어질 수 있다. 그 이유는 국제체제를 기본적으로 국가들 사이의 권력 질서의 정형으로 이해할 때 국제체제의 변동은 그 힘의 관계를 변동시키는 새로운 힘의 자원의 출현과 관련하여 개별 국가들에게 새롭게 주어진 기회와 직결되어 이루어지기 때문이다.

이렇게 개별국가들에 의해 새롭게 이용될 수 있는 자원을 제공하는 데 결정적인 영향을 미치고, 나아가서는 국제체제 자체의 구조를 변동케 만든 개별국가들의 국내구조수준에서 이루어진 역사적 변화 가운데에서 세 가지 중요한 사실이 있다.

첫째, 국가의 재정 능력을 제고시키고 나아가서는 국가에 의해 동원될 수 있는 강제력이 대외적으로 집중될 수 있게 한 자본주의 체제의 확립. 둘째, 산업화에 따른 기술발전과 관련하여 이루어진 전쟁수단 면에서의 혁신. 그리고 셋째로 개별국가들의 대내적 주권체제를 도덕적으로 강화한 새로운 이데올로기, 즉 민족주의의 등장이다.

그런데 Eckert식의 한국 자본주의의 기원에 대한 이해는, 자본주의의 역사 속에서 나타난 근대국가 및 근대 국제 체제와의 상관관계를 이해하지 못한 데서 온 몰역사회학적 논의를 기반으로 하고 있는 것인데, 계속해서 박상섭교수가 탁월하게 정리해놓은[160] 이 상관관계에 관한 이해를 살펴봄으로써 한국 자본주의의 기원에 관한 올바른 이해의 단초를 얻고자 한다.

먼저 자본주의 체제의 확립 과정을 살펴보기로 한다. 근대 유럽에 있어서 복수 정치제의 병립체제는 이미 자본주의경제가 출현하여 자리 잡기 이전에 나타났지만, 오늘날 우리가 알고 있는 규모와 내부구조를 갖는 근대 국가 간의 지정학적 대결체제, 즉 근대국가 중심의 다국 체제가 확립되는 데 있어서 자본주의적 교환경제는 대단히 중요한 역할을 담당하였다.

앞서 지적되었듯이 한때 수백 개에 이르던 크고 작은 독립적 정치조직들의 수가 여러 세기에 걸쳐 진행된 무력과정을 통해 일정 규모 이상의 소수 국가들을 중심으로 운영되는 국제체제로 고착될 수 있었던 것은 직접적으로는 중세 기사군 체제를 그 군사적 효용성 면에서 낡게 만든 보병 중심의 근대 군사체계의 출현이었다.

역사학자들에 의해 '군사혁명'이라는 주제 하에 기술되는 이 새로운 군사체계의 등장은 직접적으로는 군사 기술상의 변화에 따라 출현한 것이지만 이러한 변화가 구체적으로 절대군주들에 의해 자신들의 새로운 권력 기반으로 이용될 수 있기 위해서는 일정한 재정 능력의 보유가 전제되어야만 했었다. 바로 이 재정 능력 신장에 결정적 기여를 한 것은 도시를 중심으로 활성화되

160) 상게서

었던 상업경제였다. 16세기 후반부터 17세기 전반까지 한 세기에 걸쳐 이루어진 '군사혁명'에서 중요성이 부각된 새로운 군사자원으로는 대규모 병력으로 구성된 보병군, 대포와 소총 등의 화기, 새로운 축성술 등이었던바 이러한 데 소용되는 비용은 당시의 일반적 경제 수준과 국가들의 재정 규모에 비할 때 대단히 부담스러운 것이었다.

한편 '북학의'나 여러 실학자들의 글에서 나타나듯이 이들은 바로 화기, 축성술, 그리고 조세 등의 문제를 다루고 있는데 이는 점증하는 동북아의 군사 위기 상황과 무관한 것이 아니었다.

騎士 軍이 중심 병력을 이루던 봉건제하에서 병력의 동원은 기본적으로 봉신들이 영주들에 대해 갖고 있던 일정 기간의 군사복무 의무로 충당되었으나 보병 군이 주력을 이룬 새로운 체제하에서 병력의 유지 및 장비 지급에 소용되는 비용은 군주 자신이 조달하지 않으면 안 되었다. 더욱이 새로운 전투 양식은 전쟁기간을 장기화시켰기 때문에 전쟁의 승패는 병사들의 전투능력이나 기술보다는 오히려 군주의 재정 능력에 좌우되는 경향이 많았다. 이러한 상황에서 '돈은 전쟁의 힘줄이다'는 말이, 유럽 전역에 걸쳐 전쟁 수행과 재정과의 관계의 전형적 표현이 되어진 것이다.

그러나 17세기에 이르도록 유럽 군주들의 세입은 '자신의 영지내의 수입에 의거해서만 생활을 유지해야 한다'는 중세적 관행에 묶여 상당히 제한되어 있었다. 군주들은 자신의 영지 내의 수입 외에도 국가 내의 최고 영주로서의 각종 특권(채광, 화폐주조, 작위 수여, 재판 요금 및 기타 특정 물품에 대한 독점 판매권 등)으로부터 나오는 별도의 수입원을 갖고 있었으나 전쟁의 수행에 드는 비용은 고사하고 평시의 군비 충당도 힘에 겨웠다.

이러한 국가의 전쟁 비용을 신속히 마련하는 가장 대표적 방법은 국내외의 대금업자들로부터 대부를 받는 것이었으나 지속적인 대부는 변제능력 및 신용에 달려 있었으므로 궁극적으로 군주 자신의 재정 능력의 신장이 중요한 일이었다. 따라서 군주들은 자신의 지배지역 전체에 걸쳐 부과되는 조세의 방법을 채택할 수밖에 없었다.

그러나 이 조세의 성공 여부는 무엇보다도 조세를 가능케 하는 경제기반, 특히 조세를 통해 효과적으로 재정상의 소요가 충족될 수 있게 하는 새로운 경제기반이 이미 존재해야 한다는 사실에 달려 있었다. 이러한 상황 하에서 현금화하기 쉬운 형태의 부를 만들어낸 도시 중심의 상업 경제의 출현과 확대는 군주들에게 새로운 기회를 제공하였다. 군주들은 이러한 기회의 이용으로 그치지 않고, 그러한 기회의 확대를 위한 적극적 정책을 실시하였던 바, 이러한 모든 노력들은 현재 중상주의라는 포괄적 개념을 통해 이해되고 있다.

절대군주들은 초기에는 도시에 대한 자율권의 부여와 해외시장으로 확대를 꾀하던 도시 내 특정 세력의 보호에서 시작하여, 뒤에는 관념적으로만 자신에 의해 대표되던 영역 전체에 걸쳐 실질적으로 균일한 법 적용이 이루어지는 대규모의 사법 공간을 만들어 도시적 상업경제가 도시의 경계를 넘어 안정되게 발전할 수 있는 기회를 마련해 주었다.

특정 도시의 경계를 넘어서는 대규모 사법 공간의 창출은 도시들이 기왕에 누리던 자율성에 대한 침해를 초래하였으나, 이러한 과정 속에서 오히려 새로운 기술과 사회관계의 도입을 억제함으로써 더 이상의 생산력의 발전을 억제하던 동업조합의 중심의 중세적 관행은 깨지게 되었고, 이에 따라 도시 내 상공업세력이 하나의 신분 집단에서 근대적 의미의 (자본) 계급으로 전환될 수 있는 계기가 마련되었다. 여기에서도 나타나듯이 자본가 계급의 등장은 김성수 씨 일가처럼 국내 정치와 상관 없이 등장하는 세력들이 아니었으며 오히려 정치, 군사적 상황 속에서 발생되어진 것이다.

자본주의 체제의 확립으로 생산력 발전은 어떠한 경제 외적인 질곡에서도 풀려날 수 있게 되었고 다시 이 생산력은 근대국가의 대내외적 주권 강화를 위한 물적 기반이 되었다. 그러나 김성수 씨 일가의 자본주의는 주권 국가 대한민국의 근대국가로서의 기반 확립을 위하여 형성된 체제가 아니었고, 그 생산력 발전은 일제라는 외적인 질곡의 사생아였으며 그 생산력은 대한민국의 대내외적 주권 강화를 위한 물적 기반이 아니라, 일본이라는 근대국가의 그것이었다.

상업경제의 출현에 따라 국가의 주된 수입이 조세의 형식으로 바뀌면서 정치 영역과 경제 영역은 기능상 분화된 별개의 영역으로 존재하게 되었지만, 이 두 영역을 대표하는 국가와 경제세력은 실질적으로는 서로의 존재를 떠받드는 공생관계로 변화하였고 이러한 양상은 모든 근대국가에 있어서 구조적 양상으로 발전하게 되었다.[161] 따라서 김성수 씨 일가의 일제 강점기의 경제 활동은 일본이라는 국가의 존재를 떠받드는 공생관계이었으며, 동북아라는 근대 국제체제 속에서 살아남으려는 근대국가

---

161) 기든스, 전게서, pp.157-160

로서의 일제의 군사 중심성을 보강하고 그의 확장과 통치력을 강화하는 행태를 벌임으로써 오히려 조선의 독립을 불가한 것으로 만들어 한국이라는 근대 국가의 성립을 방해하면서 한국 자본주의라기보다는 일제 자본주의의 앞잡이요 대리인이었으며 그들의 말대로 충실한 황국신민으로서의 경제인이었던 것이다.

이러한 것과 관련하여 볼 때 일제 강점기에 있어서 정치와 경제를 구분하여 자본주의의 기원을 설명하려 한 Eckert의 방법은 자본주의의 역사를 捨象한 것이 된다.

그러므로 한국 자본주의의 기원은 Eckert식의 자본주의와 산업주의의 유일적 관계라는 단견적 패러다임만을 가지고 보아서는 곤란하며, 민족주의, 국민국가(Nation-state)라는 개념과 함께 연결되어서 규명되어질 때 그 논리적 타당성이 존재할 수 있다고 보여진다.

또한 산업주의에 있어서도, 산업자본주의가 유럽의 주요 국가들에 정착하게 된 19세기 이후의 지배적 양상이었으며 이 결과 사회의 내부 문제 특히 노동계약에서 빠져나오게 된 폭력은 외부적으로 즉 국민국가체제에서 다른 국가를 상대로 하여 집중적으로 지향하게 되었다. 근대적 전문주의적 상비군의 출현을 받고 이러한 산업자본주의 단계에 와서 이루어진 근대국가들이 내부 평화 상태의 달성과 직접 관련되는 것으로 이해될 수 있는데 한 국가의 대외적 주권이 궁극적으로는 대외적으로 사용될 수 있는 무력의 상비상태와 직결되는 것으로 이해된다면 국가의 대외적 주권은 대내적 행정의 단일성의 정도, 즉 국가가 행정력을 통하여 주민들을 단일 공동체 안에 흡수, 통합하는 정도를 그대로 반영하는 것으로 볼 수 있다.

그러나 Eckert가 그의 저서에서 한국 자본주의의 기원적인 산업화를 이룩하였다는 김성수 씨 일가의 경제 활동은 대한민국의 대외적 주권의 찬탈 협조자였으며, 대내적 행정의 파괴자였다는 점에서도 자본주의에 대한 역사적 맥락 없이 산업화만으로 그 기원을 연구하는 것은 불합리하다. 일제 강점기의 조선은 근대국가들이 자본주의적 교환경제체제가 확립되면서 더이상 생산의 주체가 되지 않는 대신에 자신의 유지에 필요한 경제적 자원을 시민사회 영역에서 이루어지는 잉여의 일부분을 조세의 형식으로 수취할 수 없는 주권 상실 상태였기 때문이었으며 김성수 씨 일가는 그 회복이 아무런 문제가 되지 않는 일본 시민이었다.

특히 근대 자본주의와 산업주의의 발전이 근대국가의 내부구조를 공고히 하고 이에 수반하여 다국 체제적 국제체제가 강화되어갔는데 이러한 체제가 의문의 여지 없는 '사실'로 고착하게 된 것은 국가의 주권을 특정 개인이 아니라 국가 성원 전체에 귀속시킴으로써 도덕적 차원에서 고양시킨 민족주의 이데올로기가 출현한 이후의 사태로 얘기될 수 있다는 점에서, 이 이데올로기를 갖지 못한 김성수 씨 일가는 한국이라는 근대국가의 자본주의와 아무 관련이 없다고 보아야 한다.

하나의 민족이 하나의 독립된 정치적 틀로서의 국가의 기반이 되어야 한다는 정치적 주장으로서의 민족주의 이데올로기의 출현은 분명히 다른 민족과 다른 국가의 존재를 전제로 나타난 이데올로기이다. 이러한 점에서 민족주의의 논의는 이미 복수의 민족/국가의 존재, 즉 국제관계의 존재를 전제로 하는 논의이다. 예컨대 혁명 직후 유럽의 석권을 꾀하던 프랑스에 의해 자극되었던 유럽 다른 나라에서의 민족주의적 각성이나 아시아-

아프리카 지역에서 나타난 반제국주의 또는 반식민주의 운동으로서의 민족주의는 분명히 그러한 측면을 짙게 갖는다. 이런 점에서도 Eckert가 보여주고 있는 김성수 씨 일가의 행태는 한국 자본주의의 기원들은 아닌 것이다.

한편 민족주의 문제를 논의할 수 있는 전제로서 민족(Nation)의 개념은 국제적 맥락보다는 국내정치적 맥락에서 먼저 출현하였는데 국가의 대외적 주권의 유지 및 확장에 수반하는 자원 동원의 문제와 관련하여 근대국가 내부구조의 구성원리, 즉 국가 주권을 대변하던 지배층과 일반 주민의 관계의 성격에 대한 재규정의 과정에서, 구체적으로 시민권(Citizenship) 개념의 확립 과정에서 이루어졌음을 염두해 둘 때 민족주의 문제는 일차적으로는 국내구조의 문제로서 취급될 수 있다. 김성수 씨 일가는 일본의 시민권을 가진 사람들이었지 대한의 시민권을 가지려 한 사람들은 아니라는 점에서도 문제가 된다.

근대 서구 정치사에 있어서 'nation'의 개념이 현재 우리가 민족 또는 국민이라는 번역어를 통해 이해하고 있는 그러한 정치적 개념으로서 고양되어 통용되게 된 것은 당연히 민족주의 운동의 결과로서 나타난 것이었다. 즉 민족주의 운동과 함께 민족은 국가라는 정치 단위체의 기초를 이루는 집단으로서 확인되었던 것이다.

그러나 이러한 민족의 집단이 민족주의 운동을 통해 갑자기 창출된 것은 아니었고 국가의 기저 집단으로 기능할 수 있는 객관적 여건은 이미 상당한 기간을 두고 형성되어 있었다. 조선조 말에서도 이러한 시민으로서의 민족의식이 태동하고 있었다. 그리고 이들과 그 사상을 이어받은 이들이 국권 회복 운동의 중추적 세력이 되어간 것이라는 점에서 대한민국이라는 근대국가의 시민이요 민족이며 자본주의의 토대라고 할 수 있다.

일반적으로 민족을 민족으로 지칭할 수 있는 '객관적' 징표로는 공통의 언어, 역사, 관습 또는 종족적 유사성 등이 제시되고 있지만 이러한 징표상의 공통성을 가지면서 '민족' 집단이 형성되고 이에 상응하는 정치적 개념으로서의 nation(국민)의 개념이 발전하게끔 한 가장 중요한 요인은 무엇보다도 근세 초 유럽에 있어서 절대주의 국가들의 정책의 결과에서 발견된다.

절대주의 군주들에 의해 형성된 단일 행정권의 통제 범위 속에 편입됨으로써 점차로 단일 공동체의 구성원으로 삶을 영위하게 된 주민들은 처음에는 지배자에 대한 신민으로서 규정되었다. 그러나 주민들에 대한 국가의 주권 작용, 즉 행정력 작용의 범위와 침투도가 커지면서 주권-행정력에 종속되는 주민들이 자신을 국가에 의해 그 외연이 규정되는 단일 정치공동체의 성원으로 보는 시민의식이 성장하였고 이제 따라 시민 자격이 부여하는 권리와 의무의 의식도 커지게 되었다.

이러한 시민권의 의식이 성장에 있어 가장 큰 기여를 한 정치 환경은 근대국가들의 성장 일반에 가장 큰 영향을 미친 국제정치적 환경, 즉 전쟁으로 지적된다. 즉 전쟁 노력에 필요한 물적 및 인적 자원의 조달에 있어 재래적인 힘에 의한 일방적 동원방식으로는 불가피했던 한계를 극복하기 위해 국가는 동의를 바탕으로 하는 자발적 자원 동원 방식을 채택하지 않을 수 없었고 이러한 과정 속에서 공동체를 상대로 타협하지 않을 수 없었다. 이러한 과정에서 공동체 운영에의 참여 권리는 국가에 의해 추구된 자원 동원에 응한 주민들에 의해 요구되었다.

그러나 김성수 씨 일가는 일제의 대동아 공영권 확보를 위한 전쟁 수행에 자원을 동원하였지 대한의 독립을 위한 곳에 그러한 것은 아니라고 Eckert 스스로도 여러 자료들을 제시하고 있다.

한편 이러한 정치적 요구가 혁명으로 발전된 프랑스의 경우, 국가의 요구에 응하고 그 반대급부로서 시민권 자격을 요구한 제3계급의 인사들은 자신을 더 이상 수동적인 신민이 아니라 혁명 이전 시기까지에는 특권층에 국한하여 지칭되었고 또한 왕국을 떠받드는 정치공동체의 제도를 지칭하던 '국민'(nation)으로 규정함으로써 '국민'의 개념은 왕국과 특권에 저항하는 개념으로 역사상 처음으로 제시되었다. 이 과정 속에서 국민의 개념은 정치적 개념으로 처음 등장하기에 이르렀고 여기에서 뒤에 nationalism이 등장할 수 있는 단서가 발견된다. 한편 조선에 있어서도 이러한 운동으로서 개화세력과 동학혁명을 일으킨 세력에게서 이러한 '시민' 혹은 '국민' 의식의 단초를 찾아볼 수 있는 것이다.162)

정치적 개념으로서 nation의 개념이 왕국과 특권제에 대한 저항의 과정에서 나왔다는 사실은 이 개념의 등장과 함께 국민 주권론이 등장했다는 점에서 잘 드러난다. 이 때 이 국민 주권론은 주권이 nation, 즉 영토적으로 규정되는 특징 단위의 사람들로부터 유래한다는 사실을 말하는 것이다. 바로 그러한 주장이 그 단위체만이 갖는 특정 속성, 특히 문화적 독자성과 동일성의 의식과 연결되어 주장될 때, 근대적 정치 이데올로기로서

162) 김영작, 한말 내셔널리즘 연구 -사상과 현실-, (청계 연구소, 1989)가 이러한 내용을 상세히 정리하고 있다.

의 민족주의가 역사상 처음으로 나타났던 것으로 지적된다. 내선일체에 협력한 사람들, 그것도 주도적으로 그렇게 해나간 사람들은 문화적 독자성이 없다고 보아야 할 것이다.

단위 집단의 문화적 동일성을 강조하는 민족주의가 근대국가 및 근대국가체제의 정당화 논리로서 나타나게 된 것은 이미 절대주의 시기를 통해 그 골격이 완성되었던 근대 국가체제를 모태로 민족주의가 성장했기 때문인 것으로 지적된다. 이러한 맥락에서 민족주의를 매개로 하여 대내적 주권의 원천이 '국민'이라는 시민권의 관념은 대외적 국가 주권과 연결되어 개별 근대국가뿐 아니라 근대 국가 체제 자체의 도덕적 근거를 제공하기에 이르렀다. 이러한 도덕적 근거가 마련됨으로써 비교적 짧은 역사를 바탕으로 또한 상당한 역사적 우연성을 띠면서 발전한 근대 국가체제는 쉽게 부정될 수 없는 사실로 고착되었던 것이다.

이러한 민족주의의 전개에 있어서 나폴레옹의 역할이 컸다. 처음에는 프랑스 혁명을 지지하던 주변국의 시민들이 나폴레옹 군대의 침략을 경험하면서 그에 대항하게 되는 과정에서 민족주의는 더욱 확산되어진 것이다. 이렇게 볼 때도 일제의 침략에 대하여 저항하지 않은 세력들에게서 시민의식을 찾을 수는 없는 것이며 이들을 브르주아라고도 할 수 없는 것이다.

유럽에서 이주해와 인디안들의 영토를 빼앗은 미국민의 후손으로서 Eckert는 한국의 민족주의에 빠진 학자들을 비방했으니 이런 비판을 받는 것이 당연하다. 즉 자신들의 고향인 유럽에서 벌어진 민족주의와 자본주의의 관계도 제대로 이해하지 못하고서, 아시아 식민지 시기로 고통받은 한반도의 국가를 상대로 고

자세로, 민족주의를 제거하고서 산업화와 기계화로만 자본주의의 기원을 가르치려 한 교만함은 반드시 심판받게 될 것이다.

유럽의 자본주의 성장에 기여한 프로테스탄티즘의 윤리와 민족주의는 Eckert 교수의 비도덕적 결론을 옹호하지 않는다.

원래 하나님께서는 왕을 원하지 않으셨다. 이스라엘이라는 민족은 존재하고 국가도 존재하지만 왕이 다스리는 이방 국가들과 달리 평등하고 공평한 공동체로서 이스라엘을 원하셨다. 하지만 이스라엘은 이방 국가의 길로 가면서 왕을 구했고, 사울이 초대왕으로 임명된다. 그 때 하나님께서는 왕제도가 생길 때 어떤 문제들이 그 국가 안에서 이뤄질지 사무엘을 통하여 경고하셨다.

인류는 돌고 돌아 이 평등하고 공평하고 정의로운 공동체로서의 국가에 다시 돌아가고 있다. 이스라엘도 만들기에 실패한 공동체, 그래서 국가적 존립 타당성이 사라지면서 앗수르와 바벨론에 의해 멸망 당했지만 다시 한번 기회를 얻어 이 정의로운 공동체로서의 민족 공동체인 국민 국가를 이루는 데 다시 나서고 있다. 그들이 자신들을 공동체 파괴자라고 비판하는 예수를 잡아 죽이면서 그 모든 화를 스스로 그 후손들에게 돌리고 그 댓가로 2천 년간 나라를 이루지 못하고 살다가 1948년에야 다시 가나안 땅으로 돌아와서 이제 다시 새로운 정의로운 민족 국가 체제를 이루기 위해 노력하고 있다.

청교도들은 이스라엘의 실패와 유럽 국가들의 실패를 교훈 삼아 미대륙으로 이주했지만, Louis Hartz의 지적처럼, 메이플라워호를 타고 대서양을 건너면서 자유는 데리고 오면서도 평등은 그 바다에 빠뜨림으로써 존 로크를 슬프게 만들었다. 이런

Liberal Tradition in America[163]가 여전히 Eckert 교수에게서도 보이고 있다.

일제와 한국은 여전히 평등해야 한다. 그리고 이 투쟁은 양국간에 지속되고 있고, 일제는 여전히 반성하지 않고 있다. 일본이라는 미명을 쓰고 있지만 국화 속에 칼을 감추고 있다. 이 투쟁은 유럽에서 벌어진 투쟁이며 동아시아에서는 현재 진행형이다. 프랑스는 여전히 나치 부역자를 찾아내고 징벌하고 있고, 이스라엘의 모사드는 땅끝까지라도 쫓아가서 유대인 학살 범죄자들을 처형하고 있다. 나치가 이스라엘 자본주의의 기원이라고 한다면 유대인들이 어떻게 반응할 것이며, 나치에 부역한 자들을 이스라엘 자본주의의 토대라고 학문적 결론을 낸다면 유대인들이 어떻게 대할 것인가!

그러나 여전히 한반도의 일제 강점기를 미화하려는 하버드대 교수들의 악행이 지속되고 있다는 점은 놀랍다. 이와 싸워야 하는 것도 자본주의의 민족주의와의 결합 속성이니 대한민국 국민들의 당연한 노력이 필요한 영역이다.

독도 문제, 위안부 문제, 한일 축구 경기에서 벌어지는 반일감정이나 일본 지도층의 여러 악행 발언에 대한 한국 국민들의 집단적 분개는 반일 종족주의가 아니라 유럽 민족주의에서도 잘 드러난 민족주의 이데올로기가 우리 안에 뿌리 깊이 있다는 반증이며 이는 민족주의 국가임을 표상하는 것이며, 한국 민족주의의 에너지 源이다.

---

163) Louis Hartz, The Liberal Tradition in America, AN INTEPRETATION OF AMERICAN POLITICAL THOUGHT SINCE THE REVOLUTION, A Harvest/HBJ Book Harcourt Brace Jovanovich New york and London, 1955

민족주의 감정은 민족주의 이성의 에너지 원임을 망각한 이영훈 교수 류가 아직도 같은 민족 안에 있다는 것은 슬픈 일이다. 한국의 거짓 보수는 친일파 청산이 제대로 이뤄지지 못함으로써 생긴 모순이며 결국 이 모순은 해소되어야 한다. 한국 민족주의도 나치 부역자들을 응징하는 이스라엘을 철저히 본 받아야 한다.

자본주의가 아무리 문제가 많아도, 그래서 끊임없이 사회주의자들이 타도를 외친다 하여도, 반인륜적인 제도까지는 아니다. 그런데 반인륜적 행태를 벌인 일제와 그 부역자들을 한국 자본주의의 기원으로 보며, 한국 자본주의의 식민지적 기원을 정당화하려는 자들은 천벌을 받아야 한다. 왜냐하면 이 식민지기로 인하여 고통받은 사람들의 한이 너무도 깊기 때문이다.

잠시 바벨론으로 하여금 이스라엘을 다스리게 하셨지만, 바벨론의 악행으로 인하여 다시 바벨론을 치셨던 하나님의 정의가 한일 관계에서도 이뤄져야 하며, 특히 여전히 제대로 반성하지 않고 있는 전범 후손들이 장악한 일본 정계는 여전히 대한민국이 싸워 승리해야 할 전범들인 것이다. 이 전범들은 세계에 손을 뻗어 학자들까지 회유하고 돈으로 사들여 위선의 페인트칠을 그 무덤 위에 덧대고 있는 것이다. 회칠한 무덤 속엔 더러운 것들이 가득하다. 돈을 사랑하는 자들이 만든 이 무덤들은 선지자들을 잡아 죽인 자들의 후손들이다.

Eckert식으로 논의하자면, 대한민국도 공평하고 정의로운 국가를 만들고 북한과 통일을 이룬 후에 일본을 침략하여 일왕의 부인을 조폭들을 시켜 죽이고, 일본의 국권을 찬탈한 후, 일본 기업인들을 앞잡이로 세워서 일본 신민들을 착취함으로써, 그리고 일본 여성들을 위안부로 삼아 제국주의 전쟁을 감행하여 미국을 침략하고, 미국 자본주의를 종속화시키는 '가증한' 일을 이룸으로써 미국 자본주의 발전에 기여할 수 있는 날이 오게 될 것이다.

그때 Eckert 교수의 친족들도 위안부로 끌려가고, 남자들은 강제 징병되고, 강제 노역을 당한다면, 아시아의 한 교수가 나서서 미국 자본주의의 발전에 한 범죄 국가가 기여했다고 칭찬해 줄 것이다. 그러면 에커트 교수의 후손들의 기분이 어떠할 것인가!

그리고 거기에 감정적으로 반응하면 어리석은 자들이라고, 너무 감정적이라고, 비아냥거리며 비판하는 자들이 나타난다면 또 어떨까!

청교도들이 세운 미국이라는 나라에서, 예수님이 다음과 같이 말씀하신 부분을 몰라선 절대 안되는 일이다.

"남에게 대접받고자 하는 대로 대접하라. 이것이 모든 율법의 근간이다"

원수 갚는 일은 하나님께 있다. 대한민국은 친히 원수 갚는 일을 하지 않고 있다. 조선 말에 많은 순교자를 양산하여 그 댓가로 일제에 패망하였지만, 이젠 대한민국에 많은 카톨릭 신자와 개신교 신자들이 있다. 세계 어느 나라보다도 열심인 신자들이 있다. 이들은 한국 자본주의 발전에 크게 기여하였다.

특히 개신교는 금연, 금주, 절제, 성실, 정직, 권위에의 충성들의 가치를 내재화하면서 산업 발전의 토대가 되었다.

세계에서 유래를 찾아보기 힘들 정도로 한국 개신교인들은 새벽 기도를 열심히 드렸고, 십일조를 바치면서 복을 구했다. 그들의 산업은 번성했다.

그러나 그 암적 특성도 남게 되었다. 특히 구원파가 등장하면서 더 이상 회개하지 않는 풍토가 형성되었고, 이로 인하여 점차 개독교라 비판받는 지경에 이르렀다. 다시 한번 한국 기독교가 이전의 도덕성을 회복하고, 가난한 사람들을 도우며, 정의로운 사람들의 집합체로 변화할 수 있다면 대한민국의 선진국 도약에 크게 기여할 것이고, 일본과 중국을 능가하는 일류 국가가 될 것이고, 미국 청교도에도 모범이 되는 기독교인들이 될 것이며 이들이 토대가 되는 대한민국은 세계 여러 나라에 크게 도움이 되는 국가가 될 것이다.

여기에는 한국 기독교 신학의 발전도 필수 요소다. 양적으로는 성장하였으나 신학적 발전은 아직도 더디다. 서구 신학을 넘어선 수준으로 성장해야 한다. 이와 아울러 에커트가 비판해마지 않았던 한국의 민족주의 경제학자의 학문적 성장도 필요하다. 이는 단순히 경제학만으로 이뤄질 수 없는 것이며 다양한 학문의 발전이 함께 이루어져야 한다.

조선 유교가 얼마나 학문적이었던가! 이 전통을 이어받아 대한민국 국민들에 내재한 학문적 역량과 DNA를 확장하여 지식국가로서 더욱더 발전해야 한다.

에커트의 비난과 비방과 비아냥거림은 한국 민족주의 학자들의 발전에 쓴 약이 될 것이다.

한국 기업가들도 더욱더 분발해야 한다. 더욱더 도덕적이어야 하고 더욱더 보편적 철학으로 무장하고 기업 활동을 해야 한다. 그래야 다시는 수치를 당하지 않을 것이다.

자신의 백성을 죄에서 구하신 예수 그리스도의 복음이 이 땅에 들어온 지 2백 년이 되었다. 우리는 우리의 죄, 하늘을 두려워하지 않고, 이웃을 사랑하지 않는 죄에서 벗어나 창조주 신을 경배하고 이웃을 내 몸처럼 사랑하는 나라를 만들어내야 한다.

영생을 얻고자 했던 부자 청년에게 모든 재산을 가난한 자에게 나눠주고 예수님을 따르면 영생을 얻으리라고 하셨던 말씀처럼, 경제의 모든 이유는 윤택한 생활을 위한 상품 생산과 소비 그리고 이를 위한 시스템의 개선인 바, 이는 결국 생명과 이어진다는 것을 알 수 있다.

자본주의가 선한 것으로 귀결하고, 사회주의와의 경쟁에서 승리하려면 그 소비 민족과 국민에게 생명을 줄 수 있어야 한다. 그 모든 상품과 시스템이 생명을 주는 것이어야 한다. 그러나 지난 시기를 보면 생명 파괴, 환경 파괴적인 일이 얼마나 많이 자행되고 있는 것인가!

생명은 이 땅에서만이 아니라, 죽음 뒤로도 이어져야 한다. 그렇게 연계되지 않고서는 이 땅의 생명은 결코 제대로 확보될 수 없다. 죽음 뒤의 생명까지 염두에 두어질 때 이 땅에서의 생명도 제대로 작동될 수 있다. 그래서 요람에서 무덤까지가 아니라 태중에서 사후까지로, 영생으로 이어지는 토대를 만드는 경제 시스템, 자본주의가 되어야 한다. 그럴 때 사회주의와의 경쟁에서 승리할 수 있을 것이다. 그렇지 못하면, 결국 자본주의 국가 미국은 사회주의 국가 중국에 패하고 지배받게 될 것이다. 이스라엘이 바벨론에게 지배당하듯이.

이 땅에서 모든 것을 누린 부자는 지옥에 떨어져 물 한 모금을 거지 나사로에게 구걸하는 신세가 되었고, 그 거지 나사로는 이 땅에서 온갖 고생을 하다가 죽었지만, 아브라함의 품에 안겨

복된 삶을 살고 있었다.

이 부자는 거지 나사로를 보내 자신의 친족들에게 진리를 알려달라고 부탁드리지만, 아브라함은 선지자들의 말도 듣지 않는데, 나사로가 살아서 돌아가 이런 말씀을 전한 들 그들이 듣지 않을 것이라고 하셨다.

막스 베버가 프로테스탄티즘의 윤리와 자본주의 정신에서 말한 바들은 바로 이런 깨달음을 가지길 바라는 데서 나온 것이며, 베블렌의 책도 그것을 전하고자 한 것이라 볼 수 있다. 하지만 여전히 자본주의 부자들은 이를 듣지 않는다.

한국을 침략한 일본 자본주의는 결코 이를 듣지 않았다.

그러나 한반도의 기독 신자들은 다음의 찬송가를 부르며 이 나라의 부흥을 일궈냈다. 통일 찬송가 371장의 가사를 보자.

삼천리 반도 금수강산 하나님 주신 동산, 이 동산에 할 일 많아 사방에 일군을 부르네, 곧 이 날에 일 가려고 누구가 대답을 할까! 일하러 가세, 일하러 가! 삼천리 강산 위해! 하나님 명령 받았으니 반도 강산에 일하러 가세!

통일 찬송가 260장도 많이 애창되는 찬송가이다. 이 찬송을 부르면서 한국의 신자들은 자본주의 발전에 기여하였다.

새벽부터 우리 사랑함으로써 저녁까지 씨를 뿌려봅시다. 열매 차차 익어 곡식 거둘 때에 기쁨으로 단을 거두리로다. 거두리로다.

통일 찬송가 261장은 일제가 부른 전쟁가와 달리 한민족의 근면 노동을 격려했고, 세계 기여를 강조했다. 이 노래를 부르며 한민족은 보편적 가치를 가진 자본주의 국가의 국민으로 성숙해 갔다.
그리고 세계에 가장 많은 선교사를 파송하는 국가가 되었다. 이를 에커트 교수는 모르고 있는 것이다.

어둔 밤 마음에 잠겨 역사에 어둠 깊었을 때에, 계명성 동쪽에 밝아 이 나라 여명이 왔다. 고요한 아침의 나라 빛 속에 새롭다 이 빛 삶 속에 얽혀 이 땅에 생명탑 놓아 간다.
옥토에 뿌리는 깊어 하늘로 줄기 가지 솟을 때, 가지 잎 억만을 헤어 그 열매 만민이 산다.
고요한 아침이 나라 일군을 부른다. 하늘 씨앗이 되어 역사의 생명을 이어가리

필자 김광종이 지은 위안부 소녀를 위한 애가는 다음과 같다.

어린 나, 끌려 갔네, 나는 공주도 왕비도 아니었네, 나는 그저 시골의 소녀였었네...

이제 한국 자본주의는 이런 피해자들을 돌보고, 대한민국의 피해자만이 아니라 세계 각국의 피해자들을 돌볼 것이다. 이는 아브라함으로 인해 천하만국이 복을 받으리라고 말씀하신 바가 대한민국 국민을 통해서도 이뤄지는 일이다.
일본 제국주의의 더러운 자본주의와는 완전히 다른 길을 한국

자본주의가 가야 하며, 그래야 중국 사회주의, 북한 공산주의와의 경쟁에서도 승리할 것이다.

막스 베버는 프로테스탄티즘의 윤리와 자본주의 정신 말미에서 아담에 대한 신의 명령을 논하면서 사도 바울이 일하지 않는 자는 먹지도 말라는 말씀들에 대해 말하고 퀘이커 교도에 대한 이야기를 하고 있다. 이들은 아주 부유했고 자녀들에게도 직업을 습득할 것을 권하고 있는데 이는 윤리적인 면에서 그런 것이지 알베르티가 이야기한 것처럼 공리주의적인 면에서 그런 것이 아니라고 정리한다.

한국 자본주의가 비약적 발전을 하게 된 것은 비윤리적이며 반민족적인 김성수 같은 인간들이 토대를 만들어서 그런 것이 아니라 6.25 이후 거의 모든 것이 파괴된 상태 가운데서 기독교 윤리에 기반한 많은 사람들, 그리고 그들에 각성받은 많은 국민들의 윤리적, 민족주의적 경제 활동으로 인한 것이다.

기독교 성경을 전국민의 50% 정도가 매일 읽고, 매주 성당과 교회당에 나가서 예배를 드리며, 설교를 듣고 찬송하고 있고, 또 그렇지 않은 국민들도 거의 일생에 몇 번 정도는 성당이나 교회당에 나가서 예배를 드린 경험이 있고, 그렇지 않다 해도 예수 그리스도의 십자가를 모르는 사람이 없으며, 성탄절을 국경일로 기념하는 나라이며, 애국가에 하느님이 보우하신다고 외치는 나라이며, 제헌 국회에서 하느님께 기도를 드렸던 나라로서 이렇게 막스 베버가 말하는 합리적 종교와 함께 성장한 나라가 된 것이다.

막스 베버의 말처럼, 수십년 전에는 카톨릭 국가인 필리핀이

훨씬 더 발전 상태였지만 개신교가 확산된 대한민국이 지금은 더욱더 발전한 상태가 된 것이다.

그러나 군부 독재 시절과 민주화 갈등 시기에 확산된 구원파나 신천지 등 이단 교리의 확산으로 인한 폐해가 커지면서 윤리적인 기독교에서 내세 중심의 기독교, 나홀로 중심의 구원 교리 폐해가 대부분의 한국 기독교내에 확산되면서, 천민 자본주의 확산과 함께 이기적 기독교로 변질되었고 이는 개독교라 비방받기에 이르렀다.

이를 해소할 윤리적 기독교가 정비되지 못하면, 극심한 빈부 격차로 인해 다시 조선말의 위기가 재현될 가능성이 높아졌고, 중국의 부상 가운데 또 다른 위기가 올 수 있다. 중국과 연계한 북한의 핵무기 보유는 대한민국 중심의 통일이 어려워지게 된 주요 이유가 되었다.

미국 자체의 정치적 혼란과 비윤리적 자본주의는 도덕적 권위를 상실함으로써, 외교부를 국무부라 부르는 국제 질서 수호자로서의 권위로 박탈당할 위기로 내몰리고 있다.

따라서 세계 최대의 교인수를 자랑하는 청교도형 한국 개신교들이 그 죄에서 벗어나 다시 윤리적 기독교, 합리적 기독교로 변화해야 할 필연에 직면하였다.

그렇지 못한다면 평양 개신교의 부흥에도 불구하고 공산 세력이 장악하면서 사라져버린 북한 기독교처럼, 남한 기독교도 그렇게 멸망해갈 것이고, 한국 자본주의도 사라지게 될 것이다.

반대로 회개하고 죄에서 벗어나 윤리적 기독교, 합리적 기독교로 거듭난다면 한국 자본주의는 세계에 기여하고 한국은 로마처럼 세계 주도 국가로서 부상할 것이다.

한국 개신교의 상당수는 일제 강점기에 결국 신사 참배에 참여한 원죄를 지니고 있다. 이런 악행의 뿌리가 여전히 한국 개신교 보수 교단들에 남아 있고 독재 군부 정권들에 부역한 죄로 이어진다. 이를 제거하는 노력이 얼마나 어려운 일이며, 아담처럼 이마에 땀과 피가 흘러야 되는 일이다.

조선 정부가 관리하던 선황당 수보다 방방곡곡의 예배당 수가 더 많아진 대한민국은 북한과의 체제 경쟁에서 승리해야 한다.

5. 한국 자본주의 기원 규명의 준거 틀

위에서 논의한 여러 사실로 볼 때 Eckert가 한국 자본주의의 기원을 규명하기 위해 설정한 자본주의와 산업화의 유일적 연계 구도는 이에 적합하지 않음이 판명되었다.

따라서 여기에서는 좀 더 포괄적이고 실제에 맞는 새로운 준거 틀이 필요하다. 그러면 어떠한 것이 이러한 준거 틀이 될 수 있는 것인가가 문제가 되는데 위의 여러 비판 과정에 드러난 몇 가지 것들을 그것으로 사용할 수 있다 본다.

이 준거 틀로서 먼저 不問可知인 것이 '한국'이라는 첫 단어와 관련하여 National-state와 밀접한 연계가 있는 군사중심성과 맞물린 민족주의라는 Ideology이다. 특히 이러한 점은 한국의 역사에 있어서 근대국민국가로 전환하는 과정에서 이것이 실패로 돌아가고, 인접한 근대국가 일본에 의해 주권을 상실당하였다가 자구적 노력과 국제체제적 상황에 의해 그것이 회복된 독특한 경험이 있다는 점에서 다른 어떤 요인보다 더 중요한 것이 된다.

다음으로 산업화가 문제가 되어지는데 이것도 산업자본주의의 발전 과정에 나타난 근대국가와의 관계를 捨象 시켜버리고서는 올바로 이해할 수 없는 바 Eckert는 이 점에서도 불완전함을 노정 시켰다. 따라서 여기에서도 역사사회학적인 관점에서 산업자본주의의 발전과 근대국가의 관계도 고려하여야 한다. 한편 위에서 마르크스와 막스 베버는 산업화에서의 관점이 다른 것을 보았다. 그러나 여기에서는 막스 베버의 관점을 취하며, 그 기본이 되는 생각은 자본주의가 합리적 정신을 가지고 아담에게 주어진 문화 명령을 성취해 나간다는 대전제 아래 선다.
그러나 막스 베버는 '프로테스탄티즘의 윤리와 자본주의 정신'에서는 자본주의가 프로테스탄티즘의 내세 지향적 속성과 관련하여 현세의 금욕과 절제와 노동을 통해 자본주의의 발전이 있을 수 있었다고 봄으로써 기독교의 이원론적 관점이 자본주의의 발전에 기여 하였다고 보았지만 이는 창세기를 통해 볼 때 일원론적 관점을 지니고서 피조세계의 중요성을 부각시킨 성경의 일관된 사상과 대치 되어진다. 즉 창세기에 나오는 데로 아담이 피조된 후 창조주로부터 땅을 정복하고 다스리라는 명령을 받았던 것[164]과 관련하여 자본주의가 생산성이라는 측면에서 인류사를 통해 선한 역할을 감당할 수 있다는 것이다.

그러나 또한 인간의 타락한 본성과 결부되어 이것이 생산성 증대와 그 고른 배분에로 나아가지 않고 착취로 나아가는 '돈을 사랑함'에 쉽게 빠질 수 있는 사탄적 유혹을 항상 옆에 간직할 수 있다는 것이다. 즉 자본주의가 생명나무 열매[165] 일 수 있다면 항상 본분을 넘어 더 가지려는 야욕은 사탄의 꾀임에 쉽게 넘어가게 할 수 있는 발단도 되어질 수 있다는 것이다. 그러나 그렇다고 하여도 생명나무 자체가 악은 아닌 것이다. 다만 인간의 독점 욕심과 사탄이 惡일 뿐인 것이다. 따라서 이렇게 본다면 마르크스는 자본주의를 총체적으로 파악하지는 못했다고 볼 수 있는 것이다. 그러나 그는 예리하게 이 생명나무가 대체로 인류 타락의 시발점 역할의 한 도구로써 어떻게 이용 되어지는가를 소상히 드러내 준 공로를 지니고 있는 것이다. 그러므로

164) 개역성경, 창세기 1장 27-31절
165) 개역성경, 창세기, 2-3장

종합적 관점에서 본다면 산업화를 자본주의의 한 핵심적 사항으로 파악 하여야 하는 것이다.
그리고 이러한 것들과 함께 당시의 정치경제적 조건으로서의 근대국가 형성과정의 동북아의 국제질서 및 근대국가체제로서의 세계 질서도 포괄하여야 한다. 이렇게 될 때 한국자본주의의 기원은 수평적(공간적), 수직적(역사적) 차원에서 제대로 그 규명이 이루어 질 수 있다.
그러나 본인은 이러한 군사중심성 안에서의 민족주의와 산업화보다 더 중요한 요인으로 보는 것은 '공평과 정의' 그리고 그 반대인 '부패와 불의'의 정도가 베버가 고무하는 식의 자본주의 발전과 깊은 관계가 있다는 것이다. 한말에 조선이 근대민주국가로 성장하여 자본주의를 결실할 수 없었던 것은 군사적 취약성 보다는 오히려 부패 때문이었다는 것이며 이 글에서 한국 자본주의의 기원을 바로 이 '부패와 불의'를 중심으로 군사를 포함하여 민족주의와 산업화와 관련하여 살펴보겠는데 부패와 군사 문제는 상기 2항목 안에서 각각 논의하도록 하겠다.

1) 이데올로기로서의 민족주의

위의 역사사회학적 관점에서 살펴보았듯이 어떠한 자본주의사회도 근대국민국가를 형성시키지 않은 곳이 없다는 데서 한국 자본주의의 기원 문제도 황국신민이 아닌 한민족으로서의 일체성을 상실하지 아니한 민족주의라는 Ideology를 계속해서 담지하고 있었던 세력에게서 기본적으로 그 기원이 찾아져야 한다. 이들로서는 근대국가를 이루려 했던 선각자들과 이것이 실패로 돌아간 후 독립을 고대하는 일반 대중에서부터 독립운동가, 민족의식의 기업가들이 어우러질 수 있다고 보인다.

유럽제국이 절대주의에서 근대국가체제로 넘어가는 과정에 국가 간 존망을 꾀하려는 군사중심성에 맞물린 자본주의와 산업주의의 연계가 있었던 것처럼, 한반도가 동북아에서 새로운 '힘의 국제질서'라는 게임 규칙의 변화 속에서 처음에는 그 규칙에 적응하지 못하여 국권을 상실하는 상태로까지 떨어져 버렸으나, 다시 그 규칙의 실상을 파악하고 그 게임의 장에 재등장하려는 노력을 독립운동가, 민족주의 의식의 기업가, 의식 있는 일반 대중이 하였다는 점에서 기본적으로 민족주의라는 이데올로기를 가진 이러한 이들에게서 한국 자본주의의 기원이 찾아지는 것은 당연하다. 이들은 국권의 회복과 국부의 증대는 밀접한 관련을 가지고 있다는 공통된 역사 인식을 지니고 있었다. 그러나 이 민족주의가 일제식의 배타적 민족주의가 아니었음은 3.1 독립선언서 등에도 분명히 드러난다. 따라서 이러한 민족주의라는 이데올로기를 갖지 않은 매국적, 반인륜적 기업가, 일부 관료 및 상층부 인사들에게서 한국 자본주의의 기원을 찾는 것은 첫 단추부터 잘못 끼우는 오류를 범하게 하는 것이다.

그러면 이러한 민족주의를 조선조 말부터 간략히 찾아 나가 보기로 하겠다.

서구 자본주의 사회와 근대국가의 형성이 근대국제체제 속에서 상호 연관하여 발전되어지는 과정에 유럽에서의 세력균형체제와 제국주의의 확산은 불가피 유럽 외의 지역에서의 패권 다툼으로 이어지게 되었고 이 와중에 동아시아는 기존의 중국 중심의 중화적 세계질서를 반강제적으로 벗어나게 되어 동아시아는 열강들의 각축장으로 변하게 되어진다. 그러나 19세기 중반 이후의 한국, 중국, 일본의 이에 대한 대처는 현저히 달랐고 이로 인하여 19세기 말부터는 그 역사가 뒤바뀌는 상황들이 벌어지게 되었다.

따라서 한국자본주의의 성장도 이러한 동북아, 더 크게는 전 세계에 걸친 국제관계의 변화 및 국내적 요인들과 연관 시켜 살펴보지 않으면 안된다.

그러면 이러한 혼란의 와중에 어떠한 민족주의 세력들이 등장하였고 어떻게 활동하였으며 어떤 결과를 초래하였는지를 간단히 살펴보기로 하겠다.

실학파를 중심으로 한 세력들의 개화 노력이 당파 투쟁 및 보수적 세력들에 의해 좌절 되어지면서 봉건제를 자주적으로 혁파하고 자본주의 사회로 순조롭게 이양하여 근대국가를 형성함으로써 근대국제체제 내에서의 군사중심적 경쟁 상황에 대처할 수 있는 기반을 확보하지 못한 가운데 점차 서구 열강의 국내 진입이 시도되는 과정 가운데 약자로서 자주 국방을 이루어낼 수 없는 상황 속에서 서구의 부정적 이미지는 더욱 강화 되어졌고 이로 인하여 국내 보수 세력은 그 세계관과 역사관 그리고 국제정치를 파악하는 안목의 부족 가운데서 위정척사로 일관하는 행태를 보임으로써 변화하는 국제 정세 속에서 유연하게 대처할 수 있는 기회를 더욱 상실하게 하였다. 그러나 이러한 위정척사파라는 일파의 실패로 인하여 이 나라의 국권이 흔들리게 되었다기보다는 조선조의 부패와 그로 인한 민심 이반, 그리고 지도층의 당리당략적 국정 운영 등이 더욱 문제가 되었던 것이다. 왜냐하면 이 위정척사파의 행위가 단순히 폐쇄적 형태로서 부정적으로 평가 되어질 수 없는 것이 이들에게서 보여지고 있는 민족에 대한 문화적 동일성의 강조, 타국에 대한 저항의식은 바로 서구 자본주의 사회를 근대 국가로 발전시켜 간 민족주의 이데올로기의 핵심적 사항이었기 때문이다. 한편 이들의 민족주의가 아직은 서구의 브르좌들이 가진 시민권 개념의 이데올로기는 아니었으나 이미 국가 간 전쟁 상태 속에서 저항적 성격을 띤 민족주의로서 향후 근대적 의미의 민족주의로 진화하여가는 토대가 되었음은 분명하며, 특히 국권 상실 후 이들이 보여주는 불굴의 저항은 민족주의의 원형으로 평가 받기에 족하다.

한편 실학파에서부터 시작된 개화세력들은 정치를 명분에서 분리 시키는 현실주의적 색체를 강하게 드러내었으나 이들도 역시 이데올로기로서의 민족주의 의식은 위정척사파에 못지않았다. 특히 이들의 정치관 및 세계관은 이미 국제정치의 속성을 어느 정도 파악한 것이었으며 근대국가로서 성장하여야 할 필요성과 그 방식에 대한 안목을 소유한 것이었다. 그리고 이러한 이해의 기반에는 위정척사파보다는 좀 더 진보된 민족주의 이데올로기가 있었다.

위의 위정척사파와 실학파 및 개화파의 민족주의 이데올로기가 위로부터의 것이었다면 동학혁명을 일으킨 세력의 그것은 밑으로부터의 것이었다. 특히 반봉건체제 이데올로기를 내포한 동학의 이데올로기는 마치 서구에 있어서 절대주의 왕정 붕괴를 이끌어낸 민중 혁명의 성격과 유사하며 반외세 자주를 이념으로 한다는 점에서 독일역사주의에서 보여지는 민족주의 이데올로기를 표출하고 있다. 그리고 이들은 이제 향후 태동 될 일제 강점기라는 엄동설한을 지나 새 봄에 싹을 틔울 근대국가의 겨자씨 한 알들로 자리매김 되어질 수 있다는 점에서 한국이라는 근대국가의 진정한 시민의식의 담보적 원형이었다고 볼 수 있다.

이러한 위정척사 세력, 개화세력, 민족주의 기업가들을 포함한 일반 민중이 어우러져 일제의 강점기를 저항하고 근대국가를 형성시키려는 죽음의 싸움들을 계속한 것이 결국 가라지와 같은 세력들과 병존하면서 이 나라를 근대국가로 형성시키고 자본주의 사회로 만들어간 핵심이 되는 것이다.

이 후 한 땅 안에서 이 땅의 풍요를 위해 노력한 세력들이 가라지들에게 그 영양분을 빼앗기면서도 그 질긴 생명력과 강인한 의지로 열매를 맺어왔으나 때로는 이 열매가 마치 가라지들 때문에 발생 되었다는 오해를 하는 이들에 의해 명예가 실추되기도 한다. 노동자 한 사람, 한 사람, 근로자 한 사람 한 사람의 땀방울이 한국이라는 자본주의 사회의 풍요한 열매를 이루어 왔다. 여기에는 단순히 기업에 근무하는 일꾼만이 아니라 공무원들도 포함되는 것이며, 주부 학생에 이르기까지 민족의 번영과 공평과 정의 실현을 도모하려는 모든 국민들이 포함되는 것이다.

한편 이 나라의 역사상 각 부문에서 일하고 있는 일반 대중이 오히려 철저히 민족주의적 성향이 더욱 짙었다는 불문가지의 사실을 염두에 두고서 여러 논란이 있기는 하나, Eckert가 보고하고 있는 김성수씨 일간의 반민족적 행태와 대조하기 위해 현재 이 땅에서 기업을 경영하고 있는 기업가들의 의식을 살펴보도록 하겠는데 이는 한국 자본주의의 성장에 있어 어느 정도 중심적 역할을 맡았다고 인정되는 경영자들까지 적어도 표면적 이상의 민족주의 의식을 어떻게 가졌는지를 직접 살펴봄으로써 이러한 민족주의가 현재의 기업 활동에까지 어떠한 영향을 미쳤는지 알아보기 위한 것이다. 그러나 이들이 김성수씨 일가와 같은 입장에 처했다면 같은 류의 행위를 했을지는 알 수 없는 일이다. 박정희 시대는 물론이며 자의든 타의든 간에 전두환, 노태우 정권 하에서의 불법적 기업 행위는 이미 여러 경로를 통해 발각 되어진 상태이기 때문이다. 이들을 민족주의 세력의 대표로 인용하는 것은 아니다라는 점은 오해 없기를 바란다.

현대그룹의 명예회장 정주영씨 (88올리핌 유치 민간추진위원장)가 88올림픽 유치 과정에서 서울시와 나고야(일본)가 경합할 때 보였던 각고의 노력에서도 한국인 기업가의 對 일본 정신의 일단을 엿볼 수 있다. “6·25 동란의 참회를 딛고 일어섰으나 아직도 전쟁으로 얼룩진 분단국으로만 통하던 〔한국〕이 예상을 뒤엎고 올림픽개최국가가 된 소식에 세계가 다 함께 깜짝 놀랐고 내가 생각해도 〔통쾌〕한 일이었다”고 말하고 있어[166] 그에 대한 평가가 어쨌든 그에게서 일단의 ‘민족주의 기업가’의 모습을 찾아 볼 수 있다.

---

166) 정주영, 전게서, pp.196-201

럭키금성(L.G) 그룹의 명예회장 구자경씨의 저서, 오직 이 길밖에 없다.[167] 에서도 머리말에서부터 시작하여 한국기업, 한국사회, 한국민에 대해 사랑과 배려와 염려가 곳곳에 배여 있다.

대우 그룹의 회장 김우중씨는 자신의 저서, '세계는 넓고 할일은 많다'[168]에서 '우리의 본적은 대한민국'이라는 글을 통해 '민족주의 의식'을 보여주고 있다.

삼성그룹의 회장 이건희씨는 삼성新경영이라는 책자에서 '일류 못 되면 제2의 이완용이 된다'[169] 라는 글에서 다음과 같이 이야기하고 있다.

"지금 우리를 둘러싼 모든 환경은 소련을 비롯해서 중국, 일본 등 열강에 둘려 싸였던 바로 1세기 전의 구한말과 아주 비슷하다. 결론부터 말하자면 우리가 일류 진입에 실패하면 우리 스스로 제2의 이완용이 될 수밖에 없다는 것이다. 다시 말해 이런 시대, 이런 환경 속에서 우리가 정신 차리지 않으면 경제적 식민지가 된다는 말이다. 경제 속국이 된다는 것이 얼마나 비참한 것인지를 알아야 한다. 실례를 보자. 현재만 해도 전자, 자동차, 조선산업에서 가장 중요한 핵심 기술들은 전부 발목이 잡혀 있다. 따라서 이번 기회에 만회하지 못하면 영원히 일본에 예속하게 된다. 지금도 반은 예속해 있는 것이나 다름없다. 하루빨리 자리를 찾고 기술 자립하고 일본 의존 일변도에서 탈피하지 않으면 안된다. 우리가 이완용을 매국노라고 욕하지만 우리 스스

---

167) 구자경, 오직 이 길밖에 없다.(행림출판, 1994)

168) 김우중, 세계는 넓고 할 일은 많다.(김영사, 1989 1판, 91년 120판), pp.126-130

169) "삼성 新경영"(삼성, 1993), pp.19-20

로 김완용, 박완용이 될 가능성은 얼마든지 있는 것이다. 그 한 없는 서러움을 우리가 조상에게서 물려받았는데, 우리 후세에까지 똑 똑같이 물려줄 수는 없지 않은가" 이렇게 민족주의 이데올로기를 보이면서도 '국가 이기주의'라는 글[170]에서는 "막강한 경제력과 기술력을 지닌 일본은 독불장군으로 세계의 질시를 받으면서도 자국의 이익 챙기기에 급급하다." 면서 일본의 배타적 민족주의를 꼬집고 있다.

또한'이기주의-한 방향의 뒷다리'라는 글[171]을 통해 "나 하나의 이익을 위해 상대방 이익을 아무렇지 않게 무시하고, 또 그런 걸 봐도 눈 하나 깜짝하지 않는다면 이것은 정말 망조 든 민족이고 망조 든 조직이다." 고 얘기한다. 기업가로서의 역사인식이 어설픈 역사학자보다 낫다는 것을 보여 준다. 그리고 이런 인식이라면 김성수 氏 일가의 일제 강점기 행태를 어떻게 평가할지는 명약관화하다.

한국자본주의의 기초가 오히려 일반 국민에 있다고 보지만 이렇게 외형에 있어서 현재 한국 경제의 상당 부분의 역할을 담당하는 대기업들의 최고 경영자들까지도 어떠한 민족주의 의식을 가지고 경제 활동을 펴가고 있는지를 살펴볼 수 있다. 한편 이러한 대기업가들이 기존에 노동자 착취, 정경유착, 문어발식 기업 확장 등과 관련하여 여러 논란의 대상이 되고 있지만, 현재로서는 그 민족주의 의식만은 분명하다고 평가된다.

한국 자본주의의 첨단 기수들인 중소기업가 및 근로자들의 민족주의 의식은 논란의 여지가 없이 분명히 드러난다.

---

170) 상게서, pp.20-21

171) 상게서, p.50

민족주의 이데올로기는 선열들과 우리들이 목숨을 바칠 만큼의 가치가 있는 것인가가 고려되어질 때 자신의 국가만을 위한 민족주의라면 이는 그 보편적 가치를 상실한 것으로 평가되어질 것이며, 共存과 公儀의 代議 名分이 있다면 이는 목숨을 바칠만한 가치가 있는 것이며, 목숨까지 요구하는 절박한 상황 속에서는 오히려 그렇지 못한다면 부끄러운 일이 될 것이다.

Marcus Tullius Cicero는 그 아들에게 들려준 의무론에서 정의의 기초는 신의라고 이야기한다. 그리고 불의엔 두 가지가 있는데, 하나는 불의를 자행하는 자들의 것이고 또 하나는 불의가 자행되어, 자신에게 해가 왔는데도 물리칠 수 있음에도 불구하고 그러지 못하는 자들의 것이다고 말한다.[172]

한국의 민족주의가 일제 종족주의에 대항하여 항거하는 것을 종족주의라고 비방하고 폄하하는 일들은 마땅히 비판받아야 한다. 일제 잔재 우익들이 아직도 신사참배를 강행하는데, 한국의 민족주의 세력들이 애국심으로 학문 활동하는 것을 비판하고 비아냥거리는 것은 자신의 아들에게 들려줄 만한 선한 일이 되지 못하는 것이다.

적들의 포탄에 깃발이 찢어져도 끝까지 맞서 싸운 위대한 나라의 국민으로서 national antheme을 부르면서, 어찌 남의 나라 일이라고 이토록 투쟁 정신을 비하한단 말인가!

---

172) Cicero, 의무론 - 그의 아들에게 보내는 편지 - (허승일 역), 서광사, 1989 p.27

2) 산업화

한국의 산업화는 언제 어떻게 실제적으로 누구에 의해 발달되었고 이루어지게 되었는가가 중요한 문제가 된다. Eckert식으로 산업화의 기반이 일제 강점기에야 이루어졌고 이것이 60년대 이후 박정희 정권에 의해 재가동되어 한국이 Nics로 진입하는데 초석을 이루어주었다는 가설이 맞는 것인가가 면밀하게 재검토 되어져야 한다. 특히 여기에서 주의하여야 할 점은 산업화 또는 산업 자본주의로의 발전에 마치 물질적 기초만 있으면 된다는 식의 Eckert적 발상은 곤란하다는 것이다. 이러한 점은 막스 베버의 이론 및 역사 사회학적 관점의 비판에서 이미 살펴본 것이다. 특히 산업 자본주의에로의 발전은 서구 유럽에 있어서도 국가 중심적으로 군사 중심성과 맞물려 근대 국제체제의 국가 간 경쟁적 성격 속에서 민족주의 이데올로기의 도덕적 뒷받침과 시민들의 호응으로 이루어졌다는 점을 고려할 때 60년대 이후 비약적으로 발전한 한국 자본주의의 근저에는 Eckert가 말하는 식으로 일제 때 기반을 다진 '반민족적 친일'(이는 Eckert의 표현이기도 하다) 기업가와 친일적 정권에 의해 이루어진 것이 아니며 일본과 한국의 근대국가로서의 경쟁 속에서 국가 중심성과 민족주의 이데올로기로 국가의 발전을 도모하는 수많은 시민 (주권자로서의)의 노력의 결과인 것이다.

아래에서는 위의 내용은 기본적으로 하고서 먼저 일제시대에 산업화의 기반이 이루어졌다는 것에 대해서부터 살펴본다. 그러나 기존의 한국 자본주의의 기원에 관한 국내의 논의들이 주로 이를 중심으로 연구됨으로써 결과적으로 총체적 설명을 상실하고 Eckert 같은 이들에 의해 열등감의 민족주의로 왜곡되어진 학자들의 글로 비난받아오게 되었다. 그럼에도 직접적으로 이 부분에 있어서도 Eckert의 논지는 문제를 가지고 있다는 점에서 몇 가지 사항을 짚어보고 넘어가도록 하겠다.

일제 강점기에 산업화의 기반이 이루어졌고 이의 상당부분은 일제의 도움 없이는 불가능하였다는 것이 Eckert의 논리이다. 그러나 이러한 논리에 몇 가지 핵심적 문제점이 존재한다.

첫째, Eckert의 논리대로 다른 측면이 아닌 산업화 측면에서만의 맹아론을 부정한다 하여도 (이것도 면밀한 검토가 요구되지만 이를 논외로 하고서라도) 일제 강점기에 이루어진 산업화의 주체가 누구였으며, 그 자본의 출처는 어디이며, 일제가 없었으면 자본 축적 및 산업화가 불가능했을 것인가 라는 점이다.

우선 그 자본의 출처에 대해서 따져보면 山本有造의 논고[173]가 도움이 된다.

“일본식민지 투자가 상당히 강한 속도로 자기 증식을 했다는 사실은 서로 표리를 이루는 2가지의 귀결을 뜻하고 있다고 보여지며, 그 하나는 실질적인 자본유출을 수반하지 않은 부분을 상당히 포함하고 있다 라는 점에 있어서 일본식민지 투자의 자본수출로서의 실질적 기능은 그 만큼 축소되지 않으면 안 된다.” 고 이야기하고 있다.

이 양심적 일본 지식인의 논지는 타당하며, 따라서 일본의 독점자본이 조선 내에 투자됨으로써 조선 산업 발전에 지대한 공헌을 하였다고 볼 수 없으며 오히려 조선 내 자산의 식민지적

173) 山本有造 "일본의 식민지 투자“, 근대 동아시아 일본제국주의, 김영호(편), (한밭출판사, 1983), pp.79-97

수탈을 통한 자금이 주요 역할을 하였다고 볼 수 있다.

Eckert도 김성수 氏 일가의 초기 자본축적과정은 철저히 소작인 수탈에서 이루어졌다고 보는데 이후 산업화 과정에서의 필요자금은 총독부와의 긴밀한 유대 가운데서 대출받거나 보조금 형태로 받게 되며[174] 총독부 재정이 1910년 한일합병으로 관유지, 국유지, 주인 없는 토지의 접수에 의해 일약 조선 최대의 지주가 되어 접수국유지 800만 정보 이상, 그 중 역둔토로 총칭되는 조선 구 직영지 등이 12만 정보로서 이 역둔토 수입에 의해 첫 해의 총독부 재정이 유지된 사실들[175]로 미루어, 이 자금들도 결국 조선인에게서 나온 것이 된다.

또한 이 산업화와 관련한 식민지 금융이 조선 자체의 발전보다는 일본경제의 발전을 위해 쓰여졌고, 그 자금 자체도 조선의 것이었음을 村上勝産의 〔제일은행 조선 지점과 식민지 금융〕이라는 글[176]을 통해 살펴 볼 수 있다.

“제일은행의 지점 설립을 수반한 조선 진출은 단지 일본의 금융기관(나아가서는 일본자본)의 해외 진출의 효시라는데 그치지 않고 그 시기에 있어서의 조숙성과 그 후의 발전(조선 중앙은행화)에 있어서 특징적이다. 조선에 있어서의 자본주의 발전의 미숙성을 식민지 지배, 강제 하에서 적극적으로 이용해 가면서 이러한 지위를 획득한 것은 단지 제일은행 자본에만 한정되지 않고 일본 자본주의 전체의 이해관계와 전개에 의해서였다. 중요

---

174) Eckert, 전게서, pp.74-102

175) 淺田喬二, 구식민지 일본인 대토지 소유론, 제3장

176) 村上勝彦, "제일은행 조선지점과 식민지 금융“(김영호 편 전게서), pp.179-208

한 것은 일본은 자본주의 성립의 극히 이른 시기에 조선에서 상당히 견고한 경제적 기반을 구축하고 있고 또한 독점적으로 조선경제를 지배하고 있었다는 것이다. 우선 이것은 상인 자본의 축적에 관계되는 것이지만 점차 산업자본으로 또 상업자본의 축적기반으로도 되어갔다. 이를 금융 면에서 지탱한 것이 식민지 지배의 조건을 최대한으로 사용하고 있던 제일은행 조선지점으로서 조선 재정자금의 원용과 제일은행권의 발행에 의한 자금창출을 통해서 자본축적이 미약했던 일본자본주의의 무역, 상업의 발전을 조선에서 뒷받침하고 있었던 것이다."

결국 일제의 의도는 한국 자본주의의 기반화 목표가 아닌 일본자본주의의 공고화이었던 것이 드러나며 이는 근대국가로서 살아남고 더 나아가 제국주의로서 팽창하려는 한 방도로서의 한반도 이용의 과정이었던 것이다. 그런데 그 과정에 한국도 어느 정도 떡고물을 얻어먹었다는 것이 Eckert의 견지를 최대로 용인해주는 것인데, 그 떡고물마저도 실은 원래 누구의 것이었는지는 분명히 드러난다. 그리고, Eckert는 김성수 氏 일가 式으로 일제 기여적 경영이 계속됐으면 결과적으로 '한국'이라는 '근대국민국가'는 지구에서 사라졌을 것이라는 것을 모르고 있는 것이다. 계속 村上 勝彦의 글을 살펴보자.

"그런데 일본 자본주의의 확립과정은 세계사적으로는 제국주의의 성립과정에 있었고 구미 열강의 제국주의적 진출은 조선도 그 예외로 둔 것이 아니다. 특히 1900년 전후에는 조선 정부에 대한 차관 공여의 시도가 집요하게 전개되기에 이르렀던 것이다. 이 시기에 기도된 제일은행에 의한 차관 증여의 역사적 성격은 과잉 자본형성을 비롯한 자본수출의 내부적 요인의 성숙에

의한 것이 아니라 해관세 취급을 비롯한 기득권을 누릴 수 있는 경제적 독점을 구미 열강으로부터 〈방위〉 하기 위한 것이었다. 〈방위〉는 열강과 같은 근대제국주의에 고유한 수단 즉 자본수출에 의해서 비로소 가능했기 때문이다. 이러한 의제적 자본수출에는 단지 군사적, 정치적 세력권의 유지, 확대라는 데 그치지 않는 경제적 요인이 깊이 내재 되어 있었던 것이다. 그렇지만 자본축적이 미약했던 일본 자본도 이러한 〈강제〉된 자본수출을, 정부의 원조가 기대되지 않을 때에는 한쪽의 손에 있는 조선 정부의 예금을 가지고 조선 정부에 대한 차관의 원금으로 충당한다라는 극히 기만적인 자본수출의 형태를 행하려고 했던 것이다. 제일은행 조선지점은 원시적 축적기로부터 확립기에 걸쳐서 일본자본주의를 금융의 측면에서 지탱하고 그 과정에서 조선 금융계까지도 재편성해가면서 일본에 의한 조선의 식민지화를 촉진 시켜갔다."

美國人이 아닌 양심적 일본 지식인의 글로 보아서는 일제의 조선 산업화, 금융화 정책은 구미 열강제국과의 경합 속에서 일본자본주의의 확립과정의 한 부분이었으며 한국자본주의의 확립과정은 아니었음이 분명히 드러난다. 결국 근대 국제체제의 군사중심성이 일본이라는 한 국가를 통해 민족주의, 자본주의, 산업화와 어떻게 어울려졌는가를 분명히 보여주고 있는 예가 되는 것이다. 또한 위 글에서 村上 勝彦은 조선 공공 예금 뿐만 아니라 조선 민간인 예금이 일본상인의 무역, 상업금융을 크게 지탱해준 사실을 보여주고 있는데 당시 이 자금이 주체적으로 국내 산업발전을 위하여 쓰여졌다면 한국 자본주의는 좀 더 발 빠른 성장을 할 수 있었을 것이다. 그리고 당시 이렇게 민족주의 의식을 가지고 산업화를 이루려는 기업인들이 있었으나 이들도 일제에 의해 제거되었다는 점에서 이러한 사실은 더욱 분명해진다. 그 대표적 인물이 남강 이승훈이다. 남강은 도산 안창호의 영향을 깊이 받고 초기 기업 활동의 반윤리성을 반성하고 민족기업가로 변신하여 적극적인 기업 활동을 펴다 일제에 의해 제거 되어지는 것이다.[177)]

그러면 좀 더 자세하게 남강의 면모를 살펴보면서 앞에서 Eckert가 묘사했던 김성수 氏 일가와 근대국민국가를 만들어가는 주체적 세력으로서의 모습 면에서 비교해보기로 하겠다. 이는 조기준 氏의 상기 저서의 내용을 중심으로 개별 각주 없이 살펴보겠는데 Eckert도 이 책을 참고 자료의 하나로 삼았다.

오산학교를 창립 운영하여왔고 신민회를 이끌어 나가면서 민족과 국권 회복을 위하여 헌신한 남강은 극빈한 한 서민의 아들로 1864년 평북 정주읍에서 태어났다. 그는 김성수 氏 일가와는 달리 사회의 밑바닥에서 출발하여 자기의 운명을 개척하여 나간 의지의 사람이었다. 남강이 태어났을 때 그의 가세는 씻은 듯이 가난했다. Eckert가 묘사하고 있는 김성수 氏 일가의 지주로서 태평한 시기를 보내며 소작인들을 착취함으로써 자본을 축적해 간 모습과는 정반대의 양상이었다. 집에는 한 뙈기의 전답도 없고[178)] 그의 아버지는 시골 선비로서 무위 소일하였으므로 그의

177) 조기준, 한국 기업가사,(박영사, 1973), pp.305-326

178) 땅에 땅을 더하고 밭에 밭을 더하여 그의 형제로 거할 곳이 없게 만드는 부동산 탐식자에게 하나님의 저주가 있다는 성경 말씀에 반하여 김성수 氏 일가가 전북 고부의 풍요한 땅들을 잠식해 들어가고 있을 때 이들의 상황은 이러하였으며 이러한 사람들이 당시 민중의 대부분이었다.

가족은 모친의 품팔이로 경우 연명하였다. 그와 같이 가계를 꾸려나가던 모친도 남강을 낳은 이듬해 사망하고는 그는 할머니의 손에서 키워졌다.

남강이 6세 되던 해에 남강 일가는 정주 읍에서 살길이 없어 동쪽 40리 거리에 있는 淸亭으로 이거했다. 청정은 속칭 납청정이라고 하는 고장으로서 서울, 의주를 통하는 교통의 요지였고 고래로 유기제조의 고장으로 이름나 있었다. 여기서 부친 이석주는 하는 수 없이 남의 일도 봐주고 유기를 공장에서 받아다가 지방 시장에 팔기도 하면서 겨우 생계를 유지하여 나갔다.

청정에 옮겨온 다음 해부터 남강은 그곳 서당에서 한학을 배우기 시작했다. 이때부터 4~5년간이 남강이 정식으로 서당에서 공부할 수 있었던 전 학력이 되는 것이다. 남강은 뒤에 사회활동을 하고 있을 때 자주 자기를 "무식해서"하는 말을 하였다는데 이것은 그의 면학경력이 불과 4, 5년밖에 되지 않았음을 자인한 독백이었다고 할 수 있다.

1873년 남강이 겨우 10세 되던 해에 그의 부친마저 별세했다. 이때 남강의 형 승모도 겨우 14~15세밖에 되지 않아 어린 형제로서는 가계를 꾸려나갈 수 없게 되었다. 김성수, 김연수 형제와는 다른 삶의 연속이었다. 김성수 氏는 일본 유학을 다녀오고서 기업을 시작하지만, 남강은 생계를 위해 시작하게 된다. 그래서 남강은 서당을 그만두고 남의 집 사환으로 들어가게 된 것이다. 남강의 상인으로서 또는 기업으로서의 수련은 이때부터 시작된다.

남강이 사환으로 들어간 곳은 당시 청정에서도 이름 있는 유기상인 임권일 씨의 집이었다. 임권일 씨는 청정에 여러 유기공장을 경영하고 있었고 그는 제품을 그의 집 사랑에 옮겨 여기서 도산매하였다. 남강은 바로 이 사랑방에서 주인의 잔심부름을 하고 있었다.

이 사랑방에는 당시 평안 황해 함경 각도의 행상들이 모여들어 유기제품을 사갔고, 이들 행상은 때로는 이 임씨의 사랑방에서 여러 날씩 묵기도 했다. 남강은 여기서 그들과 함께 유숙하면서 세상 돌아가는 이야기를 듣고 또 상업하는 방법도 배우면서 성장한 것이다.

남강은 천성이 곧고 성실하여서 주인 임씨의 사랑과 신임을 얻게 되었고, 나아가 들게 되자 점차 주인의 상거래를 돕기도 하였다. 그래서 그는 상인의 수련을 쌓기에 이른 것이다.

1878년, 남강이 15세 되던 해에 그는 이도제의 딸 경강양과 결혼하였다. 남강이 결혼하게 되자 더 이상 임씨 집에 머물러 있을 수 없어 독립하여 새살림을 차리게 되었으며 그는 본격적인 상인이 된 것이다.

남강의 어릴 때의 꿈은 양반이 되는 것이라고 했다. 과거에 장원급제하여 집 앞에 '솟대나무'를 세우고 양반이 되는 것이 그의 원이었다. 이것은 아마 남강이 할머니의 손에서 자라나면서 할머니의 소원에서 영향을 받은 것 같다. 남강의 할머니는 그를 업고 과거에 장원급제하여 '솟대나무'를 세워 높은 선비의 집 앞을 지나면서 너도 공부를 잘해서 저렇게 양반이 되라고 타일렀다는 것이다. 남강의 장원급제에 대한 기대는 그의 부친의 소원이기도 했다. 그러나 그의 부친마저 별세하고 남의 집 사환으로 들어간 신세로 이제 장원급제의 꿈은 사라지지 않을 수 없었다.

남강이 양반이 되고자 한 것은 그 위세가 부러워서가 아닌 것이었다. 오히려 당시 위세와 횡포를 자행하던 양반을 심히 증오하였다고 한다. 양반이 미웠기 때문에 그도 양반이 되어서 서민의 설움을 씻어 보자는데 그의 참뜻이 있은 것 같다. 남강은 성품이 소탈하여 서민적이었고 뒤에 그가 독립운동에 투신하고 오산학교를 운영하면서 뭇 사람으로부터 지도자로서 존경을 받고 있을 때에도 이 서민적인 성품에는 조금의 변화도 없었다고 한다. 김성수 씨 일가가 마름을 이용해 소작인을 착취하고 그들의 비참한 삶을 아랑곳하지 않다가 후에 반민족적 행위를 하면서 그 기업 활동에 있어서도 노동자들의 열악한 환경을 도외시하고 그들을 탄압하는 위세를 부렸다고 Eckert가 보고한 것과는 대조를 이루는 모습이다.

임권일 씨의 집에 들어간 남강은 여기서 새로운 사실을 알게 되었다. 즉 양반이 되는 것은 반드시 과거에 합격하는 길만이 아니라 사업에서 성공하여 재산을 축적하면 그것으로 양반의 신분을 살 수도 있다는 사실이다. 이조 후기에 와서는 국가 재정이 팽창하는 한편 세수입이 부족하고 관기가 문란하여 매관매직이 성행하였다.

당시 관직을 매매하는 데는 두 가지 방법이 있었다. 그 하나는 관직은 주는 것이고 다른 하나는 관직은 없이 名義만 주는 것이다. 그의 주인 임권일 씨는 이러한 사람이었고 후에 남강도 참봉의 벼슬을 사서 실제로 양반이 된다. 남강은 그의 생애에서 두 번 큰 정신적 변화를 겪었다. 첫째는 임권일 씨의 집에서였고, 두 번째는 평양에서 안도산씨를 알게 된 때였다.

과거에 급제하여 양반이 되는 꿈이 실현되지 못할 바에는 보부상이 되어 재산을 모으고 벼슬을 사서라도 양반이 되어 사회적 천시를 면하자는 소박한 결심을 한 것이 그 첫째 변화였다. 이 때의 그의 머릿속에는 자기와 자기 가문의 사회적 지위를 높이는 것으로 가득 차 있었다. 결국, 그는 실제로 그 소망을 달성할 수 있었던 것이다.

둘째 변화는 민족을 양반으로 올려놓는 것이었다. 이것은 안도산씨의 영향을 크게 받은 후의 결심이었다. 우리 민족이 일제의 노예로부터 해방되는 것이 바로 "민족이 양반이 되는 것"이라고 생각하고 그러기 위해서는 전 민족의 각성이 있어야 한다고 믿었던 것이다. 그가 오산학교를 설립하여 청소년을 깨우치고 신민회에 가담하여 독립운동을 전개한 것은 바로 이러한 새로운 민족양반론을 실천에 옮긴 것이다. 부정한 방법으로 시민의 권리를 획득하였다면 정당한 이유로 그는 민족 전체의 시민권 회복을 위해 노력하는 사람으로 거듭난 것이다.

이 글에서 여러 차례 김성수 씨 일가를 언급하고 있지만 이는 주로 Eckert가 묘사한 모습을 다시 반복한 것에 불과하다. 만약 이 일가가 Eckert가 묘사한 모습과 다르다면 이는 스스로 해명해야 하는 것이며 필자가 여기에서 그것까지 해명할 여력은 없는 것이다. 그러나 한편 다른 여러 학자들도 김성수 씨 일가의 친일 행태에 대해서는 마찬가지로 보고하고 있는 것이다. 특히 김연수 씨는 친일파 99인에 들어가며 반민족행위자로 확정되어진 것이다. 따라서 이 과거를 영구히 반복하기보다는 이를 반성하고 보상하는 행위를 하는 것이 필요하며 이럴 때 일흔 번씩 일곱 번이라도 용서해주라는 예수님의 말씀도 적용되어질 수 있을 것이다. 그러나 단지 과거를 미화만 하려든다면 이는 곤란한 것이며 민족을 기만하는 것이 되는 것이다. 남강도 자신의 잘못을 반성하고 새 삶을 살았다는 점을 기억할 필요가 있는 것이다.

남강이 행상으로 나선 것은 1879년 그의 나이 16세 되던 해였다. 그는 충분한 자본이 없었으므로 그의 옛 주인 임씨로부터 유기 등을 외상으로 맡아서 정주읍에 나가 판 다음 그 값을 갚곤 하였다. 당시 지방을 순회하는 행상들은 서로 상이한 날짜에 개시되는 향시를 따라 물품을 판매한다. 정주군내의 향시를 계속 돌아다닌다 해도 한 달 계속 개시장을 따라 다닐 수 있는 셈이다. 그러나 행상들은 자기가 갖고 다니는 물품이 잘 팔리는 장시를 골라 가면서 돌아다니게 마련이다. 남강은 처음에는 주로 청정, 정주, 고읍장에 물품을 팔았으나 점차 시장에 대한 물정을 알게 되자 평안도 일대를 순회하였다. 나중에는 황해도가 물산이 풍부하고 인심이 후하다고 하여 안악, 신천, 재녕, 봉산에까지 진출하였다. 남강은 황해도 순회에서 특히 많은 이득을 보았다. 그래서 그는 24세 되던 해인 1887년에 청정에 상점을 하나 차리게 되었다.

이때 그는 유기상점을 경영하였을 뿐만 아니라 한 걸음 더 나아가서 유기제조공장을 설립했다. 이 공장 건설에는 많은 자금이 소요되었으므로 당시 정주에서 대금업을 하는 철산 오씨로부터 자금을 융통했다. 남강은 청정에서 공장을 건설하고 직접 유기를 제조하여 자기 상점에서 판매하는 한편 과거 친분을 갖게 된 지방행상에게 도산매도 하였다. 이것은 그의 상공업 생활에서 주요한 의의를 갖는 전기가 되었다. 즉 남강은 이 공장과 상점 경영에서 생활의 여유도 생기고 또 상공업에 대한 자신도 얻게 된 것이다. 그는 또한 자기가 경영하는 유기공장에서 많은 개혁을 단행했다. 반면 김성수 씨 일가는 쌀의 매점 매석 등을 이용하여 자본 축적을 한 것으로 Eckert는 보고하고 있어 대조를 이룬다.

남강이 경영하는 유기공장에서 단행한 개혁은 다음과 같다.

첫째로 노동환경을 개선했다. 즉 공장을 햇빛이 잘 드는 장소와 방향으로 건설했고 통풍이 잘되도록 설계했으며, 공장을 정결하게 매일 청소시켰다. 뿐만 아니라 그는 거기서 일하는 노동자에게 작업복을 입혔다. Eckert가 보고하고 있는 경방의 노동자들의 작업 환경과 경영자의 노동자에 대한 마음의 태도에 있어 천양지차가 있다.

둘째로 그는 노동조건을 개선했다. 그는 임금을 올려주고 매일 일정한 시간의 휴식을 하도록 했다. 그러나 Eckert는 경방이 노동자들에게 과도한 시간을 노동을 강요했으며 임금은 생활하기에도 곤란한 것이었으며 나이 어린 노동자도 고용했다고 보고하고 있다.

셋째로는 노동자에 대해서 신분이나 계급적인 차별을 하지 않고 항상 온정으로 대해 주었다. Eckert가 보고하고 있는 대로 경방의 노동자들이 여러 가지 개선을 요구하자 일제의 경찰력을 동원하여 탄압한 것과는 대조를 이룬다. 그들은 소작인에게 대한 식대로 노동자에게도 대한 것이다, 이러한 그들을 Eckert는 무자비하다는 용어로 수식하기도 한다.

이와 같은 개혁을 단행하게 된 동기는 관거 임권일 씨의 사환으로 있을 때 유기공장을 드나들면서 거기서 유기를 제조하는 노동자들의 비참한 상태를 보고 느낀 바 있었기 때문이다. 당시 일반 유기공장의 노동자들은 햇빛이 들지 않는 공장 안에서 옷이 때가 묻어 새까맣게 되고 불결한 환경 속에서 일하는 꼴은 마치 노예와도 같았던 것이다. 또 한편 노동자들은 주인만 없으면 노래나 부르고 게으름을 피우고 있어 노동능률은 오히려 저하되고 있었던 것이다.

그가 특히 자기 공장이나 상점에서 일하는 사람 또 자기와 거래하는 행상들에게 신분이나 계급을 따지지 않고 온정으로 대해준 것은 당시의 사람들이 하찮은 반상이나 따지고 미천한 출신에 대해서는 이를 천대하고 위세를 부리는 것이 심히 못마땅했기 때문이다. 남강은 어려서부터 가난한 가정에서 자랐고 남의 집 사환을 하고 있다고 하여 일반이 그를 천시하는 것이 뼈에 사무치게 느껴졌기 때문이다.

남강이 단행한 이와 같은 기업경영에 있어서의 개혁은 노동자들의 작업 의욕을 북돋우어 주고 따라서 노동능률을 높였다. 그가 이 개혁을 단행했을 당초에는 동업자들은 그의 처사를 못마땅하게 생각하고 비웃기도 하였으나, 이것이 오히려 노동의 능률을 올리게 되자 점차 그를 따르는 사람이 있어 청정을 비롯한 인근 유기공장은 모두 이를 모방했다고 한다.

남강의 공장과 상점은 날로 번성하여 드디어는 평양에 유기상 지점을 두기에 이르렀다. 이것이 순조롭게 진행되어 갔다면 Eckert가 그를 모델로 한국자본주의의 기원을 연구하였을 것이다.

청정에 유기제조공장을 설립한 이래 그의 사업은 순조롭게 발전하여 갔으나, 1894년에 발발한 청일전쟁은 남강으로 하여금 다시 새 출발을 하지 않으면 안 되게 되었다. 이 청일전쟁을 바로 동학혁명을 수용하지 않고 외세로 이를 진압하려고 청의 군대를 요청하였다가 결국 이를 빌미로 일본의 군대가 들어오게 되고 끝내는 여기에서 승리한 일본에게 나라를 빼앗기게 되는 결정적 기회를 주었다는 점에서 민족으로도 그리고 남강에게도 커다란 피해를 끼친 것이다. 마키아벨리는 외국군을 힘입어 타국과 전쟁을 치룰 바에는 자력으로 싸우다 패배하는 것이 낫다고 이야기하였는데 하물며 자국 내에서 국정개혁을 요구하며 발생한 사태를 진압하기 위하여 외국 군대를 불러 들였다는 것은 당시의 지도층의 상태를 보여주는 것이며 국권을 상실할 수밖에 없는 상태에 이미 가 있었음을 보여주는 것이다.

전쟁은 조선 땅에서 벌어졌고 그로 말미암아 주요 도시는 전쟁터가 되어 황폐화하고 말았다. 특히 청군이 후퇴함에 있어서는 약탈 방화로 경의 가도의 도읍은 잿더미가 된 것이다. 평양, 청정, 정주도 예외가 될 수 없었다. 전쟁 중 남강은 일가를 인솔하고 덕천 협중으로 피난했다. 1895년에 전쟁이 끝나자 남강은 다시 청정에 돌아왔으나 공장과 상점은 모두 파괴되고 손댈 여지조차 없게 되었다. Eckert는 민족 내에서 자력으로 성장할 수 있었던 이런 기업들이 이렇게 타격을 받은 것에 대해서는 눈길을 주지 않고 오직 김성수 일가의 산업이 민족이 어떠한 일을 당해도 더욱 일제의 덕택으로 민족의 희생 위에 발전해 갔던 것에만 한국 자본주의의 원형이 있었던 것으로 본다는 것은 문제가 된다.

그러나 남강은 어려서부터 역경에서 스스로 운명을 개척해왔고[179] 이만한 일로는 좌절되지는 않았던 것이다.

---

179) 마키아벨리가 이야기하는 Fortuna'를 극복할 수 있는 Virtu'를 가

그는 우선 잔품을 정리하고 공장의 재건 계획을 작성해 갖고 자본주인 철산 오씨를 찾아 그간의 경위와 앞으로의 계획을 제시하면서 자금의 융통을 호소했다. 철산 오씨는 남강의 정직함과 또 불굴의 정신에 감동되어 즉석에서 자금 후원을 약속했다. 오씨는 지난날에 청정 정주 일대의 유기공장 및 상점에 거액의 자금을 융통해 주었던 것인데, 전쟁으로 이 지방의 공장과 상점이 잿더미가 되자 돈을 빌려간 사람들의 대다수는 옛 빚을 갚을 길 없어 도망가고 말았는데 남강만이 이와같이 그를 찾아 준 것이 고마웠던 터에 앞날의 사업계획과 전일의 자금을 청산할 방안을 제시한 데 크게 감동되었기 때문이었다.

남강은 오씨의 자금으로 다시 공장을 복구하고 유기를 생산했으며, 청정의 상점도 다시 열었다. 그의 사업은 예상외로 번창하였다. 전쟁 후 다른 공장들이 복구 못하고 있을 때에 남강의 공장은 곧 가동되었으니 그는 인근 유기시장을 거의 독점할 수 있었기 때문이다. 그는 평양 지점을 다시 열고 진남포에 새로 지점을 개설함에 이르렀다.

1901년에 남강은 평양에 나와 김인호 씨 등과 합자하여 크게 무역상을 벌이기로 작정했다. 그는 청정의 유기공장과 상점은 조카에게 일임하고 진남포의 지점은 지점장을 두어 운영을 맡겼다. 그리고 자신은 평양과 서울과 인천 등지를 두루 내왕하면서 여러 새로운 사업을 개척하여 나갔다. 열성적 기업가로서의 면모를 그대로 드러내고 있는 것이다. 그러나 Eckert는 조선조말의 기업인들을 금전욕에 눈이 먼 천민자본주의 단계의 사람들로

지고 있었다. 이러한 것이 바로 주체적 시민의 원형적 모습이며 한국 자본주의 기원의 겨자씨 한 알인 것이다.

매도하였으면서도 유독 김성수 씨 일가에 대해서는 합리적 경영의 기업가로 평가하고 있다.

이 때의 남강의 상업 활동은 대단히 광범하게 전개되어 있었다. 그는 경인선의 개통과 더불어 경성과 인천간의 물화운수가 유망하여지자 경인간의 운송업을 일으켰고 또 인천항에 수입되는 석유, 양약 등 서구 상품을 구입하여 이를 황해도 및 평안도에 도산매하기도 했다. 그는 또 서울에 들어오는 각종 지물을 매점하여 지가가 오르기를 기다려 이를 방매함으로써 거리를 얻기도 하였다. 그러나 이런 점은 후에 도산을 만나면서 반성하게 된다. 이런 점은 김성수 씨 일가의 잘못과 다를 것이 없는 것이다. 이렇게 해서 그는 서울과 인천에서도 이름난 도매상인이 된 것이다. 당시 그가 운용할 수 있는 자금은 50만량으로 평가되고 있다.

남강의 商才는 확실히 비범했다. 그는 항상 새로운 기회를 포착하여 과감하게 이를 실천에 옮겼다. 그는 상업 정보에도 대단히 밝았다. 어느 고장의 어떤 물품을 어디로 옮기면 얼마만한 이를 얻을 것인가를 항상 소상히 조사하고 있었던 것이다. 현재 유망 업종으로 떠오르는 유통업에 대한 안목이 있었던 것이다.

1902년의 일이었다. 당시 우리나라에는 백동화의 범람으로 화폐가치의 변동이 심하였고 또 지방에 따라 그 구매력이 달랐다. 이 해 엽전(상평통보)의 구매력이 서울과 부산간에는 크게 차이가 있었던 적이 있었다. 즉 서울의 엽전 1량은 부산에서는 2량의 가치를 발휘한 것이다. 이것은 부산에서 이 시기에 엽전이 퍽 귀했기 때문이다. 물론 이러한 현상은 극히 짧은 기가만 계속되는 현상이다. 이 정보를 알게 된 남강은 지체없이 서울서 엽전 만량을 수집하여 이를 배로 부산에 보냈다. 그러나 불행하게도 남강의 엽전을 실은 배는 목포 근해에서 일본 영사관 소속선과 충돌하여 침몰되고 말았다. 남강의 돈 만 량은 고스란히 수장되고 만 것이다. 남강은 그 손해배상을 일본 영사관에 청구하는 소송을 제기했다. 남강의 주장은 그 엽전은 부산에 가면 그때 2만 량의 가치를 갖는 것이니 2만 량을 배상해 달라는 것이었다.

그러나 당시 한일간의 국제사정이 미묘했고 한국정부는 점차 약세에 몰려 있을 때이니 한국정부로서는 강경한 태도를 취할 수 없었으므로 이 소송은 오랜 시일을 끌다가 결국 본전 만 량을 받기로 하고 일단락 지어졌다. 남강은 이때 국력이 약하면 국민의 권리도 제대로 찾을 수 없다 하여 크게 개탄했다고 한다.

한편 노일전쟁을 전후한 시기에 몇 번의 무리한 매점판매가 실패로 돌아가면서 큰 타격을 받게 되었고 청정에서 경영하던 남강의 유기공장도 을사조약 후 일제의 진출이 현저해짐과 더불어 왕년의 성세를 유지하기 어렵게 되었다. 일제의 도자기가 한국에 들어온 것은 1890년대부터이나 당초에는 그 양도 많지 않았고 한국인의 기호에도 적합지 않아 유기공업과 크게 경합이 되지 않았으나 1900년대에 와서는 일인의 대거 渡韓과 또 일제 도자기의 대량 수입으로 전통적 유기공업은 차차 타격을 받게 되었다. 사업이 침체에 이르자 그의 사상에도 변화가 생기기 시작하였다.

남강은 어려서 할머니로부터 홍경래의 난에 대한 이야기를 자주 들어왔고 보부상으로서 지방 각지를 돌아다니면서도 홍경래에 대해서 많은 것을 알게 되었다. 그가 들은 홍경래는 사리사욕을 채우려는 도적도 아니고 권력을 탐내서 일어난 역적도 아니었다. 홍경래는 가난한 사람을 도와주고 백성을 괴롭히는 관리, 이속배를 응징하는 의리의 사람이었고 신분적 차별로 사람을 업신여기는 양반을 몰아 내려는 사회개혁자였다. 당시 사회적 압박을 받는 농민, 상공업자들에게 홍경래는 전설적인 인물이 되고 있었다.

남강은 홍경래의 이야기에서 많은 점을 깨달았으나 그가 택한 길은 홍경래와는 달랐다. 남강은 양반의 위세에 눌리고 있었기 때문에 자기도 양반이 되려고 했고, 가난의 고통을 뼈저리게 느꼈기 때문에 돈을 벌고자 했다. 남강은 자기와 자기 가족과 자기 가문을 양반의 억압에서 해방시키기 위해서 전력을 기울였던 것이다. 이 시기의 남강에게는 아직도 민족이라든가 서민사회라는 것에 대한 개혁사상은 싹트지 못했다. 남강은 일가친척들을 모아 종족부락을 이루고 서숙을 설립하고 문중아의 자제를 공부시키는 한편 장성한 사람들에는 그의 공장에서 제작되는 유기를 맡겨 행상하면서 생계를 유지하도록 한 것이다. 이것도 그가 품고 있던 이상 즉, 자기와 가족과 문중을 가난에서 구제하고 양반으로 이끌어 올리려는 소박한 이상을 실현하는 제일 단계의 작업이었다. 그러나 남강은 평양과 서울을 드나들면서 크게 무역상을 시작한 이래 종래 품어왔던 소박한 이상에 점차 회의를 느꼈다. 당시 사회를 휩쓰는 신사조에 눈을 돌리게 되었기 때문이다.

이때 나라의 정치는 혼란을 거듭하면서 날로 기울어져만 갔다. 양반들은 권력을 탐내고 서로 다투고만 있었고, 이 틈에 외세는 침투하여 급기야는 내정을 간섭하면서 세력 부식에 광분했다. 이 시기에 서구 지식을 받아들인 선각자들은 개화와 계몽운동을 벌이고 있었다. 남강은 서울과 평양을 드나들면서 비로소 나라 안의 형편과 세계정서에 눈뜨게 된 것이다. 남강은 서유견문을 읽고 크게 감동받았으며 독립신문과 황성신문을 탐독하면서 정치의 움직임을 주시하게 되었다. 서구 브르좌의 면모를 갖추기 시작한 것이다. 브르좌들이 살롱문화를 통해 지식을 갖추고 그들의 위상 제고를 요구하고 주권자인 시민으로 등장하듯이 남강도 점차 이러한 의식이 커져간 것이다.

남강이 1904-5년경에 수차에 걸친 사업실패와 더불어 외세의 침략이 비단 정치뿐만이 아니라 민족의 경제생활에도 크게 작용한다는 사실을 느끼게 되었다. 그가 설립한 유기공장이 일제의 도자기의 진출로 쇠퇴의 운명에 처하게 된 사실에서 경제의 움직임이란 어느 개인의 힘으로 만은 좌우될 수 없으며 국력과 깊은 관계를 갖는다는 것을 절감하기에 이른 것이다. 서구 브르좌들이 국가의 운명과 민족의 운명을 연결시킨 것과 일치하는 것이다. 그러나 김성수 씨 일가는 그렇지 않았다는 점에서 진정한 브르좌라 할 수 없는 것이다.

그는 이와 같은 소용돌이 속에서 사업조차 뜻대로 되지 않고 보니 과거 반평생 자기가 갖고 살아온 신념이 허무하게 무너져 감을 느낀 것이다.

1905년 그의 나이 42세 되던 해에 그는 고향에 돌아가 그 정신적 고뇌의 원인이 무학에 있다고 생각하여 다시 공부를 시작하여 율곡전서 등의 경학을 공부하였으나 자기의 갈 길을 발견하지 못하였다. 이러면서도 황성신문과 대한매일신보를 계속 받아 보았으며 국내 정세의 변동을 주의 깊게 관찰하고 있었다. 특히 1905년 11월 일제의 강압으로 체결된 을사보호조약의 보도는 그에게 충격을 주었다. 이어 1906년에 일본 통감부가 서울에 설치되고, 다음해 6월에는 헤이그 밀사 사건이 일어나자 그는 은거할 수 없어 그해 가을에 평양에 나가 보기로 하였다. 여기서 그는 도산 안창호와 만나게 되었으며, 안도산 씨의 연설과 그와의 면담에서 비로소 자기의 할 일을 깨닫게 된 것이다. 이때부터 그는 독립운동과 민족계몽에 헌신하게 되었는데 민족에게 바친 그의 정열은 과거 서민신분의 설움을 벗어나려고 몸부림치던 그것과도 같았다. 남강은 이제 다시 활기를 찾은 것이다. 서구 자본주의 사회의 브르좌들이 도덕적 기반으로서 가진 민족주의 이데올로기가 그의 삶을 새롭게 변화시킨 것이다. 이날 안 도산 씨의 연설장에는 수만 군중이 모였으며 모두 도산의 연설에 울고 혹은 주먹을 불끈 쥐기도 하였다. 도산은 대 웅변가이기도 했으나 무엇보다도 그의 명석한 시국판단과 한민족이 취해야 할 길을 명확히 가르쳐 줌으로써 군중의 공명을 얻었던 것이다.

남강은 도산의 연설에서 다음 몇 가지 점을 크게 깨닫게 되었다.

첫째로 오늘날 전 세계의 민족들은 새 시대를 향하여 일대 개혁을 단행하고 있는데 우리의 정부나 백성은 이를 깨닫지 못하고 세력 다툼이나 하고 양반들은 상투 짜고 관 쓰고 도포나 입고 거드름 피우며 다니고 있으니 이대로 가면 우리 민족은 아주 많이 뒤떨어지고 사라져가고 말 것이라는 것.

둘째로 만일 우리 민족이 이제라도 깨닫지 못한다면 우리의 4

천년의 나라는 그만 일본 사람의 손에 들어가고야 말 것이며 우리 조상들이 전해준 모든 재보는 일제가 가져갈 것이고, 우리의 사랑하는 아들과 딸들은 모두 일제의 남종, 여종으로 붙잡혀 가고 말 것이라는 점.

셋째로 이제라도 정부 당국이 부패하지 않고 백성이 깨어 일어나 힘을 합하여 산업과 교육을 일으키는데 힘쓴다고 하면 넉넉히 이 곤욕을 돌릴 수 있으니 삼천리 방방곡곡에 새로운 교육을 일으켜 삼천만 한 사람 한 사람이 덕과 지식과 기술을 가진 건전한 인격이 되고 이 같은 새 사람들이 모여 서로 믿고 성스러운 단결을 이루어 민족의 영광을 회복하는 기초를 닦아야 한다는 것이었다.

남강은 이제까지 자기 일신과 가족과 문중을 생각하고 있었으나 이제야 민족을 각성하게 된 것이다. 전 민족이 일제의 노예가 되려는 이 시기에 가족만을 생각할 수는 없고 민족이 노예가 되면 어느 한 개인이나 한 가족이 양반으로 있을 수도 없다는 점을 깨닫게 되었다. 그는 우리 민족을 노예로부터 구하고 부귀한 민족을 만드는데 남은 생애를 바치기로 결심했다. 마치 독일의 브르주아지들이 국가 이성 사상을 가지는 듯한 신성한 장면이다. 즉 국가를 위해서라면 어떤 일도 감행하겠다는 사상이다. 김성수 씨 일가는 일제 국가 이성 사상에 충실한 일본 브르주아지들의 하수인이 되었으나 남강은 그렇지 않았던 것이다.

연설이 끝나자 남강은 바로 도산을 찾아 손을 마주잡고 그의 감명을 고백했다고 한다. 도산은 남강보다 13-4세 연하였다. 그러나 남강은 연령의 차이를 조금도 개의치 않고 도산과 더불어 민족을 위하여 일하며 그의 뜻을 따를 것을 맹세했다고 한다.

남강은 그날로 상투를 잘랐다.

그리고 그는 주위의 반대에도 불구하고 용동에서 신식교육을 시작하고 학교를 지었는데 이것이 서도 지방에서 처음 생긴 사립 소학교였다. 후에 이것을 개편하여 평안북도 관찰사의 도움으로 설립한 중학교가 오산학교인 것이다. 이후 오산학교는 많은 고난을 겪었다. 때로는 재정난으로 폐문의 위기에도 있었고, 3.1 운동 시에는 민족주의의 소굴이라 하여 한때 폐교된 일도 있었으나 남강과 그의 동지가 살아있는 한 오산학교는 문을 닫게 할 수 없었다.

기업에 대한 정열과 포부를 완전히 포기하지 않았던 남강은 다시 새로운 기업에 착수했다. 도산의 평양 모란봉 연설에서 그가 느낀 것은 우리 민족이 다시 소생하여 일제의 침략을 모면하려면 후진을 양성하여 백성을 깨우치고 산업을 일으켜 나라를 부강하게 하여야 한다는 점이었다. 이는 서구 자본주의 사회의 전형적 이데올로기인 것이다.

이제 남강의 여생은 바로 도산이 계시한 길을 실천에 옮기는 것이었다. 그러므로 남강이 다시 기업을 시작한 것은 지난날 그가 자기와 가족과 가문을 가난에서 구하고 서민의 지위에서 양반으로 올리고자 한 그러한 목적에서가 아니라 이제는 민족을 일제의 노예에서 구하고자 한 것이며, 따라서 그의 기업하는 자세도 크게 달라지게 된 것이다. 그는 학교를 경영하는 것과 기업을 일으키고 이를 운영하는 것과 신민회에 가담하여 독립운동을 하는 것이 모두 한 마음 한 뜻에서 이루어진 것이다.

반면 김성수 씨 일가의 기업 행위는 민족의 장래를 염려하는 것이 아니었고 오직 그 기업의 발전을 위해서라면 어떠한 반민족적 행태로라도 감행할 것이었다. 1996년 현재 Eckert의 책이 번역되지 못하는 이유가 바로 이 책이 번역될 시 김성수 씨 일가의 반발을 두려워하기 때문이라는 이야기가 있다. 연구 자금을 기업 쪽에서 받고 있다는 설이다. Eckert는 이들의 이러한 비행을 들추면서도 결국 그들에게 한국 자본주의의 기원의 공로를 돌리고 있는 것이다.

남강이 오산학교를 설립하면서 새로이 시작한 기업은 평양 도자기회사였다. 이 회사는 남강이 1908년에 평양의 유지들과 합자하여 평양 마산동에 설립한 것이며 근대적 회사조직으로 설립된 도자기회사로서는 한국 최초의 것이었다. 남강이 도자기회사에 착안한 데에는 이유가 있었다. 남강이 청정에서 유기공장을 경영하였다는 것과 이 유기공장은 을사 조약을 전후한 시기에 일본제 도자기의 유입으로 도산의 위기에 빠진 것은 비단 남강의 유기점 뿐만 아니라, 청정과 안성을 비롯한 전국의 유기공장은 정도의 차이는 있으나 모두 그 피해를 입게 된 것이다.

한국의 유기공업은 어떠한 새로운 전환이 없이는 존속하기 어렵다는 점을 남강은 그때부터 절감하고 있었던 것이다. 또 남강은 도자기라면 우리나라에서 고래로 제조해오던 것이고 특히 고려청자, 이조백자로 그 제품이 널리 알려져 있는 터인데 우리의 조상이 만든 것을 우리가 못 만들고 일본에서 수입한다는 것을 어불성설이라 하여 그는 일제의 상품 침투를 막아내는 의미에서도 도자기회사의 설립은 긴급하다고 생각했던 것이다.

남강은 또 이재에도 밝은 사람이어서 도자기회사는 수익상으로 따져도 유리한 기업이며 또 장래성이 있다는 점을 간파할 것이다. 도산도 이 회사의 설립을 찬성하고 적극 후원해 주었던 것이다. 마산동 도자기회사 창립식에서 도산은 다음과 같은 축사로 이 사업을 격려했다.

"우리나라의 세계적 자랑인 고려자기는 그 발상지가 즉 평양 부근이다. 저 승호리 석탄을 이용하여 고열을 발하기에 성공하였다.

우리 한국의 경제적 파탄을 막을 길이 자작자급 밖에 다시 없다. 그 중에도 공업의 진흥이야말로 한국의 생명선이다. 저 현해탄 건너로 일본 제품이 홍수같이 반도로 밀려 들어와 독점시장이 되었으나 애국 동포 여러분 조국을 살리는 것이 다만 정치만이 아니라 경제력이다. 자고로 국가와 국가 사이에 전쟁 기인이 오직 針一本, 紙一枚에 있지 않았는가. 산업을 진흥함이 곧 애국이고 구국이라는 것을 잊지 말자. 경제적 침략이야말로 군사적 침략에 지지 않는다는 것을 인식하여야 한다.

선조 때 만들던 고려자기를 우리는 왜 못 만드느냐. 세계 각국은 눈부시게 진보하는데 우리만이 왜 퇴보냐, 이것은 우리나라에 유교가 들어와서 상공업을 천대했기 때문이다. 금일에 발기하는 마산도 자기 회사가 좋은 물건도 만들고 평판 높은 그대로 각국에 많이 수출되고 이익을 내기만 하면 전국에 이러한 회사가 많이 생기리라 믿는다. 더욱 평양은 대동강을 중심에 두고 공장지대가 적의한 곳이다. 상공업의 대도시를 만드는 것은 이 자기회사가 솔선 표본적이 되어야 할 것이다."

도산의 축사에서 남강과 도산은 그 뜻을 같이하고 있음을 알 수 있다. 그리고 국가 간 경쟁 특히 군사 경쟁과 경제 경쟁의 비교 대목은 그에게 근대 국민국가에 대한 인식이 있었음을 보여주는 것이다. 이 회사 제품은 품질이 양호하여, 제품이 나오자 도처에서 환영을 받았다. 또 경영도 순조로워 이익을 보았으므로 그 이익의 일부는 오산학교 경영에 충당하였다. 그리고 당시의 신문 잡지들도 이를 찬동 격려하는 글을 실어 민족 사업계에 경종을 보내었다.

이 시기에 남강은 또 인천에 파마 양행을 설립할 것을 계획한 일이 있었다. 이것은 당시 이탈리아 상인 파마가 한국과 이탈리아와의 무역을 목적하고 내한하였는데 그는 남강이 유능하고 믿음직한, 商才人이란 소문을 듣고 남강을 찾았던 것이다. 남강은 한국에서 생산되지 않는 양품을 이탈리아로부터 수입하고 한국의 특산물을 수출할 생각으로 그와 합작회사를 계획하였다. 남강의 머리에는 이때 그가 시작한 도자기와 유기의 판로를 기대했던 것이다. 그러나 이 파마 양행은 설립 준비가 완료되었으나 남강이 만주 군관학교 사건으로 투옥됨으로써 좌절되고 말았다.

남강이 설립한 마산동 도자기회사도 이때 남강의 투옥으로 운영이 어려워지자 일본인 회사에 그 권리를 박탈당하고 말았다. 열세한 민족자본으로는 합방 후 일제의 비호를 받으면서 대량 유입되는 일본인 자본과는 도저히 경쟁이 될 수 없었기 때문이다. 한국 자본주의의 민족주의적 자생적 발전을 일제가 이렇게 가로막고 있었다. 그런데 Eckert 눈에는 어찌 이런 것이 보이지 않는가. 보아도 보지 못하는 저주가 그의 눈에 임한 것이리라!

이 점은 평생을 기업에 바쳐 온 남강이 더욱 절실하게 느끼고 체험해 온 일이다. 그러므로 남강은 항상 민족자본의 규합을 주장해왔다. 이것이 그의 '관서 자본론'이었다.

남강의 '관서 자본론'은 일본인 자본의 대거유입에 대항하기 위해서는 약소 민족자본은 합자하여야 한다는 것이며, 그 첫 단계로서 관서지방의 상공업자는 그들대로 자본을 합자하여 회사를 설립할 것이며 관북에서는 관북의 상공업자, 호남에서는 호남의 재벌, 영남에서는 영남 재벌, 이런 식으로 약소자본을 서로 합치면 일본인 자본과 대적할 수 있을 것이며, 그렇지 못하면 민족기업은 외래 대자본에 눌려 멸망하고 말 것이라는 것이다.

남강이 이 '관서 자본론'을 실천에 옮겨 설립하고 더욱 자본을 확대 모집하여 사업을 확장하려는 무렵에 그가 일본 관헌에 체포되는 몸이 되어 수포로 돌아갔다. 이 부분을 Eckert는 어떻게 해석할 것인가를 묻고 싶다. 즉, 그의 말대로 일제의 한국 자본주의에 Contribution, Catalyst라고 설명을 할 수 있을 것인가에 관한 질문인 것이다.

남강은 도산을 만난 이후 학교를 설립하고 기업을 일으키는 한편 도산이 조직한 신민회에서도 가담하면서 직접 독립 운동에 참가하였다.

남강이 독립운동에 바친 열정도 대단하였으며 만주 군관학교 사건, 105인 사건, 3.1운동 등으로 그가 연이어 투옥, 복역하게 됨에 따라 그의 사업은 부진하게 되었다. 1922년에 그가 출옥한 후에도 민족운동은 계속되나 출옥 이후 그가 심혈을 기울인 곳은 오산학교였다. 오산학교는 그의 최후의 보루였고 생명이었다. 그의 탁월한 기업가적인 창의력과 실천력은 이제 오산학교의 경영에서 발휘된 것이다.

오산학교와 남강에 얽힌 일화는 오늘에까지 많이 전하여져 오고 있다. 남강은 1930년 5월 3일에 협심증으로 63세에 사망했다. 그의 유해는 유언에 따라 해부하여 오산학교의 실험용으로 제공하기로 되었으나 이 마지막 뜻마저 일제의 방해로 이루어지지 못하고 말았다.

한편 이러한 예는 주익종 씨의 박사학위 논문에서도 여실히 드러났다. 즉 평양의 메리야스 업체들에게서도 이러한 주체적 노력이 나타나며, 이 과정에 일본에 의해 많은 어려움을 겪게 되지만 그래도 그것을 김성수 씨 일가와는 다르게 견디어 나간다.[180]

한편 조선은 일본에 있어 원시 산업 지역으로 원료 공급과 저임 노동 공급지로서 일본 공업경제에 필수적이었다. 조선 공업이 점점 성장하여 가는 과정에서 중심적인 세력을 이룬 것은 일본 자본가였고, 한국인의 역할은 일본에 대항하는 과정에서 그 정신 자세에 있어서는 해방 이후의 경제 발전의 초석을 이루는 주체적 역량의 성숙 기반이 되었지만, 그 외형에 있어서는 매우 보잘 것 없는 것이었다. 다만 그 외형적 역할을 어느 정도 제대로 세운 이들은 대체로 황국신민이 된 사람들일 뿐이었다.(1917년에 한국인 경영 공장 수는 전체의 44.9%, 생산액은 총생산액의 약 14%, 공업자본은 총 공업자본의 5.9%, 1928년에는 생산액 30%, 자본 4.7%; 이러한 양상은 가내 수공업적인 소규모 공장 증설 탓이었다)[181]

한편 이러한 공업이 얼마간 발전하면서도 이는 일본과의 연계하에서 그 보충적 부분으로 이뤄진 것이며 따라서 조선 내에의 자율적, 유기체적 성격이 없었으며 또한 기술 면에서도 1941년

180) 주익종, 전개서, pp.213-229

181) 한창호, "일제하의 한국 광공업에 관한 연구", 일제의 경제 침탈사, 김문식 외4인(민중서관, 1971) p.196

총계를 보면 광업 부분 종사 기술자가 전체의 25%에 지나지 않았고, 그나마 고급 기술은 일본인이 주도하였으며, 하급, 보조기술만을 조선인에게 전수하여 주었을 뿐이라는 점[182]에서도 잘 드러난다. 이러한 점은 안병직 교수의 연구에서도 잘 나타난다.[183]

따라서, Eckert의 논의와는 달리 기술적으로 전수된 것이 적어 해방 이후 산업 발전에 지대한 영향을 끼쳤다고 볼 수 없으며, 산업 시설도 공업 등은 주로 북한 쪽에 있었고 조선 내에서 유기체적 구조를 가지지 못한 상태에서 바로 분단되는 상황으로 도움이 별로 되지 못하였다가 이후 한국 전쟁시 이 시설로 이후 한국 자본주의 발전을 이룰 수 있었다고 보는 Eckert의 가설은 부정되어진다.

이러한 사실에 대해서는 안병직 교수의 상게서에서 뿐만 아니라 美 하원의 프레이저 보고서[184]에서도 그대로 드러나고 있다. 그리고 실제로 현 한국 자본주의의 선두가 된 현대 그룹의 정주영 회장은 해방 이후, 특히 한국전쟁 이후 자신의 산업 활동이 자원, 자본, 기술축적에 있어, 폐허 위에서 시작된 것이라고 말하고 있다.[185] 그는 또한 한국 경제의 발전에 대해 이렇게 이야기하고 있다.[186]

---

182) 상게서

183) 안병직, "식민지 조선의 고용구조에 관한 연구-1930년대의 공업화를 중심으로-," 근대 조선의 경제구조, 안병직 외3인(비봉출판사, 1989), pp.388-429

184) 美 하원 국제관계 위원회 국제기구 소위원회(편), 프레이저 보고서, 서울대 한미 관계 연구회(역), (실천 문학사, 1986), pp.241-243

185) 정주영, 전게서, p.3

"한국이 길고 긴 잠에서 깨어나 60년대 이후 비약적인 발전을 이루어 세계의 주목을 받는 위치에 이르렀으며 이 비약적 발전에 〈현대〉가 선도적 역할을 했으며(이도 功過야 어쨌든 현재 한국의 최대 기업이라는 점에서 인정할 만하다.:필자주) 그 원동력은 진취적 기상과 불굴의 개척정신이며, 황무지나 다름없던 한국 공업사회(Eckert는 황무지가 아니었으며, 일제 때 이미 산업화 기틀이 완성했다고 주장한다.)에서 미국인들의 서부 개척처럼 우리 힘만으로 하나하나 개척해왔고, 처음부터 장사가 아닌 생산업체로 성장하겠다는 본인의 의지와 국내보다는 해외시장에 주력하겠다는 뜻의 성과가 현실로 이루어진 것은 현대 사람들의 개척정신에 힘입은 바가 크고, 한국 경제는 원칙론적으로 보면 전부 안 될 일뿐이지 될 일은 하나도 없고 자본도 자원도 경제전쟁에 이길만한 기술축적도 없었다. 논리적으로나 학문적 계수로는 분명 안 될 일이고 못할 일을 해내고 있는 것이다. 〈Eckert가 얘기하는 일제가 이루어 준 산업화, 기계화가 이 발전의 핵심사항이 아니고〉 우리 국민들이 진취적인 기상과 개척정신, 열정적인 노력을 쏟아부어 이룬 것이다. 바로 정신의 힘이다. 신념은 불굴의 노력을 창조할 수 있다. 진취적인 정신 이것이 기적의 열쇠였다."고 얘기한다.

마키아벨리의 'Virtu'를 정주영 회장도 얘기하는 것이다. 이 점에서도 Eckert는 '人間의 의지'에 대한 이해가 부족하며 막스 베버가 '직업으로서의 정치'에서 논의하는 "In spite of all"[187]

186) 상게서, p.4

187) M.Weber, Politics as a vocation (From Max Weber; Essays in sociology, Translated, Edited and with an Introduction by

의 의미를 이해하고 있지 못하다고 볼 수 있는 것이다. 귀속 기업체 중 58년에 금강 스레트를 인수한 것이 있는데, 그 사업의 핵심인 현대건설(1950년 창립)이나 현대자동차 등의 성공을 이룬 것은 이와 큰 관계없이 이루어진 것으로 분석된다는 점[188]에서도 일제의 혜택을 입지 않고 'Virtu'를 통해 그 성공을 이루어 가고 있다는 정주영 회장의 논의는 그 이후의 정경유착 등을 논외로 한다면 공허한 논리는 아니다.

이러한 논의들은 여러 다른 한국의 대표적 기업가들에게서도 동일하게 반복된다. 그리고 이들은 한국 자본주의의 놀라운 발전 원인을 일본이나 일제 강점기가 아닌 자체 내에서 찾고 있다. 따라서, 한국 경제의 기수들인 기업가들의 정신까지도 일제에 예속되어 있다고 보기는 곤란하다. 이러한 예로 대학생들이 취업하기 원하는 국내 기업 중 2위를 차지하고 94년 현재 연매출 7,500억원 수준의 기업으로 국내 50대 그룹사에 들어가는, 향후로도 귀추를 주목받는 기업 중의 하나인 이랜드 그룹의 박성수 사장과의 서면 인터뷰에서 '한국 자본주의의 일제 catalyst, contribution에 대해 어떻게 생각하는가'에 대한 답변으로 그는 "한국적 자본주의에 대한 저의 개인적인 의견을 이야기하자면, 1960년 이전의 문제에 있어서는 거론할 여지가 없습니다. 우리나라는 국민소득 82불에 엄청난 외채를 짊어진 지구상에서 가장 가난한 나라 중 하나였기 때문입니다. 우리나라의 경우 60년 이후 30년간 있었던 경제 발전은 60년 이전에

H.H Gerth and C.Wright Mills) (Routledge & kegan Paul LTD, Sixth Impression 1967 p.128)

188) 공제욱, 1950년대 한국의 자본가 연구(백산, 1993), pp.181-229

축적된 자본에 의해서가 아니라 오히려 외채에 의해서였고 일본에서 받은 청구권 자금 (일제가 한국에 도움을 주었으면 이를 줄 이유가 없다:필자주)과 다른 나라에서의 경제원조 그리고 미국에서 교육받은 경제 관료들을 잘 활용한 개발독재의 덕이었다고 생각합니다. 그리고 본격적으로 한국 자본주의가 발전하게 된 과정에서 개발독재는 불가피한 것이었다고 생각합니다. 만약 60년 이후 경제가 발전하게 된 원동력이 60년 이전에 형성된 민족자본과 자본가들이었다고 한다면, 동남아시아의 후진국들이 당시 우리보다 더 많은 자본과 자본가들을 가지고 있었음에도 지금 우리나라보다 뒤져 있는 것을 설명할 수 없을 것입니다." 고 하고 있어 산업 현장에서 직접 한국 경제의 한 부분을 담당하고 있는 기업인으로서 Eckert의 한국 경제의 발전의 핵심 요인에 대한 관찰이 얼마나 비상적인지를 잘 보여주고 있다.

오히려 이들에게서 보여지는 것은 기든스와 막스베버가 논의한 민족주의 부르주아지들의 이데올로기이다.

삼성의 경우도 그 성장 요인은 귀속기업체의 인수 등은 부차적이며 원조 자금이나 정부불의 배정, 은행융자, 정권과의 밀착 등으로 분석되고 있다.[189)]

럭키금성은 귀속업체나 국유기업의 불하는 전혀 없었으며 은행융자 및 정권과의 밀착이 주 성장 요인으로 분석된다.[190)]

대우는 박정희 정권 이후에 성장한 기업으로 일제와는 관련이 없고 오히려 김우중 씨는 그 저서 '세계는 넓고 할 일은 많다.'에서 70년대 이전까지 한국이 얼마나 가난한 나라였으며 경제

189) 상게서, p.217

190) 상게서, p.217

건설을 하기에 얼마나 열악한 조건이었는지를 이야기한다.[191)]

이러한 대기업가들이 한국 경제 발전의 중추적 역할을 담당한 것만은 아니다. 오히려 이름 없는 수많은 다수가 그 기업들 속에서 애국의 마음으로 그 핵심적 역할을 담당한 것이다. 그리고 그들 중 상당수가 윤리적 기독교인들이었고, 합리적으로 행동했다. 그런데 굳이 여기에서 이들을 거론하는 것은 Eckert가 김성수 일가라는 당시의 최대 기업가들을 그 논지의 증빙으로 삼은 것과 대조시키기 위함일 따름이다. 이렇게 한국의 現 4대 그룹이 열악한 조건을 이겨내면서 성장했고 진전을 거듭하는 것과는 대조적으로 Eckert가 그 논지의 증빙 자료로 삼았던 삼양사 그룹은 일제 강점기에 한국 최대의 기업이었으나 91년 현재로는 30대 그룹 수준으로 하락하였으며, 소유 종업원 수에서도 50년대 말에서 60년대 초로 넘어가면서 삼성, 럭키금성 등의 비약적 확대와는 달리 제자리에 머무르기 시작한다. 그리고 당시 현대 그룹의 수준은 삼성, 럭키 금성에 비해 미미한 정도였다.[192)] 세월은 진실을 드러내 주는 것이다.

성공 기업가는 모두 신의를 중시한다. 4대 그룹의 정주영, 이병철, 구자경, 김우중 회장들의 자서전들[193)]에서는 이것이 분명히 드러난다. 모두 신의가 얼마나 그 성공에 중요한 요소인가를 언급한다. 현재 그들에 대한 평가를 접어 두고서라도 이것이 경영에 있어 긴 안목으로 볼 때 진실임은 두말할 나위조차 없다.

191) 공제욱, 전게서, pp.277-288

192) 공제욱, 전게서, pp.277-288

193) 구자경, 전게서
이병철, 호암자전(중앙 일보사, 1986)
김우중, 전게서 등에도 잘 나타난다.

그리하여 요즘 기업들은 상품 광고만이 아닌 기업 이미지 광고에 신경을 쓰는 것이다. 이러한 것은 페놀 유출 사건 후 두산그룹의 노력과 성수대교 붕괴 후 동아건설의 태도에서 극명하게 드러나며 각 그룹들이 병원, 복지시설 등에 적극 참여하고 국민과 세계를 위한 기업이라는 것을 강조하여 광고하는 것도 이와 무관하지 않다.

따라서 Eckert의 상게서 전반에 소상히 소개되어 있는 소작인 착취와 매국적인 경제 활동을 한 '김성수 씨 일가'의 前歷은 현재의 주도 기업들에 의해 부도덕한 기업 양태로 부정되어지며 그 반민족적 행태는 더욱 그러하며, 따라서 현 한국 경제의 기원을 이룬 토대로서도 부인되어지며, 한국 경제의 주역이 될 수 없음도 자명하며 한국을 위해서도, 현재 경방을 포함한 삼양사 그룹이 한국 경제의 선두 그룹이 아닌 것이 참으로 다행이고 막스 베버가 논의하는 창조주 신께서 도우신 일이다.

왜냐하면 이렇게 나라를 말아먹고 반인륜적인 일제의 전쟁 침략 행위를 지원한 집단이 반성 없이 선두를 지키고 있으면 이 나라가, 이 세계가 또 어떻게 됐을지 모르기 때문이다. 로마를 사랑한 Forturn이 한국과 세계를 사랑하고 이 역사가 올바른 방향으로 진행되어 가기를 원한다는 증거이기도 하다.

한편 경방을 포함한 관련 삼양사 그룹이 전과를 반성하고 소작인과 노동자와 국민과 세계에 배상하고 돌이켜 다시 국가와 세계를 위한, 국민과 인류를 위한 경제 행위를 한다면 역사도 그들을 용서하고 그들의 앞길을 지켜줄 것이다. 이러한 점은 현재 한국 경제의 중추가 되어지고 있는 대기업들에도 공히 요구되어지는 사항이다. 비록 이들이 그 성장 과정에서 일제 부역적인 행태를 하지는 않았지만 정경 유착 과정과 노동자 착취 과정, 부동산 투기 등은 부인될 수 없는 역사로 남아 있기 때문이다.

그 대표적 창업주들과 경영자들이 Virtu'를 가지고 기업을 운영한 점이 인정되지만 이를 뒷받침한 '블루 칼라와 화이트 칼라'의 희생적 노력, 그리고 그 과정에 그들의 여러 특전을 묵묵히 용인해주며 그로 인한 많은 손해를 감수한 일반 국민들에게 보답하여 공기업과 같이 국민의 기업이 되어 그 기업 운영을 이루어가야 하며, 그 성장의 열매를 각 국민이 그 기여도와 필요에 따라 고루 누릴 수 있도록 해야 할 것이다.

이러한 것과 관련하여 LG그룹의 경영권 인수 과정에서 구본무 신임회장이 논의한대로 이제 그룹 내의 대형 계열사 몇 개만 더 공개하면 실로 명실상부한 국민의 기업이 된다고 한 것[194]은 의미 있는 발언이 된다. 따라서 공제욱 씨의 다음의 논의[195] "한국 사회는 30년대에 자본주의 사회로 이행해갔다고 볼 수 있지만 이 시기의 자본주의는 식민지 자본주의로서 자본의 소유주는 거의 대부분 일본인이었으며 예외적인 산업 자본가로 김연수 씨를 들 수 있을 뿐이며, 1945.8.15 이후에는 미 군정에 의해 몰수된 적산이 50년대 초반에 이르기까지 국가 자본의 형태로 존재했으나 1945.8.15 이후 일제 하의 식민지적 생산 구조의 고리가 끊어짐으로써 생산능력 와해, 남북 분단에 따른 타격(특히 중화학 공업시설이 대부분 북한에 존재함에 따른 타격), 그리고 한국전쟁에 의한 막대한 피해 등으로 그 생산기반이 와해되는 지경에 이르게 되며, 이 생산기반은 50년대 중반 이후

---

194) 한겨레 신문, 95.2.23

195) 공제욱, 전게서, pp.181-184

복구되는데 여기서 미국의 대한원조가 결정적인 역할을 한다." 와 관료, 기업가, 국민들을 종합적으로 고려할 때 Eckert식의 일제가 남긴 산업화, 기계화가 한국 자본주의의 토대 및 기원을 이루게 해주었다는 논리는 무리이며 오히려 Virtue(Virtu')를 가지고 fortune과 necessity를 극복해 간 '대한민국 공화국의 (마키아벨리는 강한 공화국과 탁월한 인물들의 정신과 위용이 모든 fortune을 극복한다고 얘기한다.)[196] 기업인, 관료를 비롯한 노동자, 그리고 온 국민의 의지, 그리고 신의 도움'에 한국 자본주의의 기원 및 발전이 근거하고 있다고 볼 수 있는 것이다.

살려고 한 자는 죽었으며 죽으려고 한 자는 살았다. 즉 실학파로부터 면면히 이어져 온 민족주의와 근대 국민국가를 지향하는 세력들은 비록 그 결실이 눈에 보이지 않지만 한 알의 밀로 썩어 이후 겨자씨 한 알이 만들어내는 커다란 나무를 만들어내어, 지금의 대한민국이라는 근대 국민국가와 풍요로 거듭났으며, 반민족적 행태로 살아남으려 했던 자들은 잎사귀가 무성한 무화과나무가 되었지만 결국 그 열매는 우리의 것이 아니었고 오히려 부패의 깊은 뿌리를 이 민족 가운데 남겨 놓음으로써 여전히 이 사회의 암적 모순의 근원으로 남아 있는 것이다.

196) 마키아벨리, 전게서, pp.498-501

Ⅲ. 한국 자본주의의 기원: 주체적 조건 발전론

자본주의와 근대 국민국가의 상관관계로 볼 때 결론적으로 요약한다면 한국 자본주의의 기원은 한민족이라는 민족주의 의식을 지나고서 근대국민국가를 만들어내려 했던 주체적 세력에게서 찾아질 수 있다는 것이다. 사상적인 측면에서 본다면 이들은 조선의 실학파에게 까지 거슬러 올라갈 수 있다.

박제가는 북학의에서 3.市井 부분을 통해 시장의 중요성을 얘기하며, 6.兵論에서는 백성들이 왜놈, 뙤놈하며 일본과 청나라를 무시하지만 실은 이들을 경계해야 한다며 군사중심성을 강조하여 이를 조세를 통해 지원해야 한다는 등197) 서구 유럽제국에서 보여지는 근대 국가체제의 본질을 꿰뚫는 논의를 펴고 있다. 그리하여 그는 부국강병을 통해 이 위기를 극복해야 한다고 하며 7.丙午正月 二十二日 朝參日時 農說署別提朴薺家所懷에서는 서구의 기계화를 논하며 기계화의 중요성을 임금에게 보고하고 있다. 이러한 것은 14.財賦論에서도 다시 강조되며, 여기에 나오는 한 시에서는 무역과 상업이 얼마나 중요한 것인가를 노래하고 있다. 이러한 사상들은 박지원이나 정약용 등에서도 나타나는데 특히 정약용은 경세유표에서 상공업 진흥론198)을 펴며 아울러 화폐의 중요성과 군사력의 중요성 등도 논하고 있다.

이러한 사상이 개화파로 이어지고 이후 독립협회 등의 구한말의 여러 사상가 및 독립 운동가들에게 영향을 미치게 된다. 그

---

197) 박제가, "북학의", "한국의 실학사상"(삼성출판사, 1989), pp.287-337

198) 정약용, 경제유표, 상게서, pp.347-449

대표적 인물 중 한 분이 도산 안창호[199]이시다. 그는 끝까지 변절하지 않은 인사로서 위에서 살펴본 바와 같이 민족기업가 남강 이승훈의 정신적 지주이기도 하다. 그의 사상의 핵심의 하나가 무실역행인데 직접적으로는 평양의 민족 기업인들에게 영향을 미쳤고, 전국적으로 그리고 그 후대에도 그 영향은 지대하였다. 그가 국가를 어떻게 생각하고 있었는지를 1920년 가을 상해 모이명로의 단소에서 모씨의 흥사단 입단을 위한 문답 과정에 문답 위원으로서 주고받은 대화 과정[200]에서 살펴볼 수 있다.

"도산 - 중국 인구가 4억이나 되는데 지금은 비록 쇠하여졌지만 그래도 세계에서 문화 높고 유력한 민족이오. 그런데 국가의 조직 없이 이 민족이 이만한 문화를 가지고 4천 년간 이만큼 계속하고 번창할 수 있었을까요?

답 - 국가라는 조직이 없었다면 문화도 생기지 못하였으려니와 생존도 유지하지 못하였으리라고 생각합니다.

....

도산 - 그러면 이번 독립 운동의 소득을 무엇이라고 보시나요?

답 - 첫째로 민족의식을 각성시켰고, 둘째로 독립의 의사를 내외에 표명하였고, 셋째로 실력이 없이는 아무리 좋은 기회가 있더라도 쓸데없다는 것을 깨달았습니다.

....

도산 - 우리에게 완전한 독립의 영광의 날이 저절로 올 수 있으리라고 생각하시오?

---

199) 도산 안창호(흥사단 출판부, 1987), p.147

200) 도산 안창호(흥사단 출판부, 1987), pp.144-179

답 - 저절로는 올 수 없지요. 우리가 그날이 오게 하도록 힘을 써야만 올 것입니다.”

또 다른 일화를 살펴보면 다음과 같다.

1907년 헤이그 밀사 사건 이후 광무 황제의 양위 요구와 한국 군대 해산령 등의 와중에서 칠적이라는 친일파가 발호하여 송병준 같은 자는 광무 황제에게 일본으로 가서 사죄를 하고 長谷川 일본군 사령관 앞에 친히 가서 사죄하라고 권하였고 이병무, 조중응 같은 자는 황제 앞에서 혹은 칼을 빼기도 하고 혹은 전화선을 끊어버리는 등으로 임금을 협박하여 일본의 요구에 응종케 하였으며, 이완용도 친일파의 괴수임을 점차로 드러내었으며 김윤식, 민영소 등 원로라는 이들도 일본의 위엄에만 눌려 책임 있는 태도를 보이지 아니할 때 국내의 앞길은 암담하고 의병의 비극은 酸鼻히였다. 당시 청년 지사들이 사랑해 부르던 사발가는 애국민(Nation)의 심경을 잘 표현해 준다.[201)]

석탄 백탄 타는 데는
연기나 펄펄 나건만
요내 간장 타는 데는
연기도 불기도 아니난다.

이러한 상황 속에서 1909년 가을에 안중근 의사가 이토히로부미를 포살한 후 일본 군벌에게는 적이던 이토가 죽은 것을 기회로 삼아 군벌 거두인 桂太郎 일본 수상은 역시 군벌 거두인 寺內正毅를 한국 통감으로 보내는데 당시 경무 총감으로 함께 온

201) 상게서, pp.46-54

明石元二郎은 경술년 7월 친일파, 배일파의 명부를 작성하여서 하순경에 벌서 헌병대 검속을 시작하여 도산은 개성 헌병대에, 이갑, 이동휘, 유동열 등은 용산 헌병대에 유치되었다. 寺內는 도산에게 안창호 내각을 조직하여 일본과 협력하게 함이 어떠하냐는 제안을 하며 일본의 본의는 한국의 독립을 존중하여 사이 좋은 이웃을 만드는 데 있지마는 한국 황제와 정부가 매양 일본과의 언약을 저버리고 제국에 대하여 음모를 일삼으며 또 한국의 내정도 예정대로 개선이 아니 되니 이대로 가면 필시 제3국의 간섭을 끌어들여 화가 일본과 동양에 미칠 것을 염려하므로 일본으로서는 중대한 결의를 아니 할 수 없거니와 만일 한국인이 자진하여 일본에 대한 모든 조약의 신의를 이행한다면 그런 다행이 없으니 협력하라고 회유하고 일단 석방을 시켜주었다. 이후 최석하는 이갑의 집에, 도산 등 주요 인물을 모으고 寺內의 의향을 토의하였는데 일부는 이 좋은 기회를 놓치지 말자는 의논이 있어 이 갑 같은 경우는 어떻게 하든지 한 번 정권을 손에 잡기만 하면 무단정책을 써서 일사천리로 수구파를 복멸하고 서정을 혁신하여서 일본으로 하여금 간섭할 구실을 찾지 못하게 하면서 급속히 나라의 힘을 배양하여 일본의 굴레를 벗어나기로 하자는 것이었는데 이에 대해 도산은 일본의 제안에 응하는 것이 불가하다고 단정적으로 반대하고 그 이유를 말하였다.

"첫째로 이번 寺內가 통감이 되어서 온 것은 일본으로서는 한국에 대하여 이미 최후의 결심을 하고 앞에 남은 것은 오직 그 실현 방책뿐이었다. 가장 言正理順하게, 가장 세계에 비난을 적게 받고 한국 병탐의 목적을 달하자는 것이다. 이제 민간 지사에 정권을 준다는 것은 백성으로부터 원망의 과녁이 된 귀족계급-일본의 허수아비라는 친일파의 속에서 말고 애국지사라 하여 국민의 존경과 신뢰를 받는 민간인 정권으로 그 손에서 주권의 양여를 받자는 魂膽이니 우리가 이제 정권을 받는 것은 그 술책에 빠지는 것이다. 일본의 손으로 주는 정권을 받은 우리가 손에 寸鐵이 없이 무엇으로 일본의 의사에 항거하는 정책을 행하랴. 그러므로 한번 우리가 정권을 받는 날은 우리는 일본의 수족 되는 길밖에 없다. 설사 백보를 양보하여 민간 정부가 생겨서 어떤 기간 혁신 정책을 쓸 것을 일본이 방임한다 하더라도 자기 주머니 속 물건으로 알아 오던 정권을 잃은 귀족 관료는 필시 일본에게 유리한 조건을 가지고 일본에 아부하여 정권 획득 운동을 할 것이다. 그리되면 일본은 싼 값으로 판다는 물주를 고맙게 여겨 민간 정권을 배제할 것이 아닌가. 만일 음모로써 음모를 대하고 아부로써 아부를 막는다 하면 우리 민간 지사라는 것도 결국 이완용, 송병준 무리와 가릴 것 없는 무리가 되어 버리지 아니하는가."

일제와 협력한다는 것이 어떤 결과를 가져오는가에 대한 혜안이 있는 도산의 모습을 보면서 김성수 씨 일가와는 다른 수준의 인물임을 알게 되며 일제 말로 갈수록 이러한 도산의 안목은 역사로써 증명이 되어졌다. 갑신정변 시 그들을 의지하던 김옥균을 속인 일본[202]은 끝까지 표리부동을 이루어간 것이다. 성경에서 수차 이스라엘 민족을 향해 애굽을 의지하지 말라는 경고가 나온다. 한민족이 깊이 새겨야 할 대목이다. 이후 망명이 결정

---

202) 김옥균," 갑신일록", 한국의 근대사상(삼성출판사, 1989), pp.41-88

되었고 안창호, 이갑, 이동녕, 이시영, 유동열, 이동휘, 이종호, 신채호, 조성환 등은 망명할 준비를 하였고, 김구, 이승훈, 안태국 등은 국내에 남아 활동하기로 하였다. 이들이 한국의 독립운동에 있어 핵심적 역할을 한 것은 주지의 사실이다.

이후 도산은 여러 차례 일제의 옥고를 치루면서도 끝까지 변절하지 않는다. 1937년 동우회 사건으로 구속된 후 경성 지방법원 검사의 문초를 받으면서 다음과 같이 대답한다.203)

"검사 - 너는 조선의 독립이 가능하다고 생각하느냐?

도산 - 대한의 독립은 반드시 된다고 믿는다.

검사 - 무엇으로 그것을 믿느냐?

도산 - 대한 민족 전체가 대한의 독립을 믿으니 대한의 독립이 될 것이요. 세계의 공의가 대한의 독립을 원하니 대한의 독립이 될 것이요. 하늘이 대한의 독립을 명하니 대한은 반드시 독립할 것이다.

검사 - 너는 일본의 실력을 모르느냐?

도산 - 나는 일본의 실력을 잘 안다. 지금 아시아에서 가장 강한 무력을 가진 나라다. 나는 일본이 무력만한 도덕성을 겸하여 가지기를 동양인의 명예를 위하여서 원한다. 이웃인 대한 나라를 유린하는 것은 결코 일본의 이익이 아니 될 것이다. 원한 품은 2천만을 억지로 국민 중에 포함하는 것보다 우정 있는 2천만을 이웃 국민으로 두는 것이 일본의 복일 것이다. 그러므로 대한의 독립을 주장하는 것은 동양의 평화와 일본의 복리까지도 위하는 것이다."

이후 서대문 형무소에서 병이 중하여져서 그해 12월 말에 경

---

203) 도산 안창호, 전게서, pp.98-109

성 대학병원으로 보석이 되어 익년 3월에 무의식 상태에서 "목인아! 목인아! 네가 큰 죄를 지었구나."를 웅장한 음성으로 몇 번 외치신 후 아무 유언도 없이 자정이 넘어 운명하시었다. 의인의 길, 후대에 부끄럽지 않은 대장부의 길을 가신 것이다.

도산이 1931년 윤봉길 의사의 상해 홍구 공원 폭살 사건 후 구속되었을 때 도산 재판 중의 모든 비용을 김성수 씨 등 친우가 몰래 대었다 한다. 김성수 씨에 대한 평가 중 그에게 민족주의 의식이 있었다는 것의 증거가 된다. 초기의 민족주의자들 중에 많은 사람이 일제의 통치가 장기화하면서 변절하여 갔다. 반민족 문제 연구소가 95.2.24일에 3.1절을 앞두고 일제 강점기 경력을 분석한 자료를 공개한 것에 따르면 대한민국의 2대 부통령을 지낸 김성수 씨는 '국민정신 총동원 조선 연맹 발기인 및 이사, 임전보국단 감사를 지낸 것으로 드러났으며 역대 각료의 21%가 일제 때 관직을 가졌었고, 5공까지는 각료 594명 중 123명 총리, 19명 중 7명이 일제 시대에 뚜렷한 관직 경력을 가진 것으로 드러났다.204) 그러나 이와는 대조적으로 일제의 폭압이 강화되면 될수록 그에 굴복하지 않고 항거해 간 이들이 있었기에 오늘의 대한민국의 민족정신이 부끄러움 없이 살아 있을 수 있었던 것이다. 도산 선생 같이 일제 회유책에 대한 지혜로운 안목과 민족의 장래에 대한 염려가 있었다면 김성수 씨 일가가 일제 말기로 가면서 보여 준 행태는 나타나지 않았을 것이다.

이러한 도산 선생의 노선에 대해서 여러 다른 시각이 있고 특히 신채호 선생 같은 경우는 그 대표적 예로서 온건 노선을 반

204) 한겨레 신문, 95.2.25, 1,6면

대하며 무장 투쟁만이 독립쟁취의 유일한 길이라고 파악하였다.205)

이러한 것은 대체로 사회주의 계열에서 신봉되었는데206) 이 문제에 대해서는 현재로서 볼 때 양 노선이 비중 면에서는 달리했을지라도 조화를 이루어 병행되었어야 했다는 것은 분명한 사실이며 이 양자가 모두 한국의 독립에 상당히 기여 하였다.

그런데 도산 선생과 같은 이들의 애국적 활동과 근대화 노력은 해방 이후 정국에서도 그 명맥을 유지하나 이승만 정권의 부패에 의해 커다란 효과를 발휘하지 못하다가, 박정희 정권이 들어서면서 다시 근대화 운동과 민족주의 이데올로기에 힘입어 재가동 되어진다. 순국선열은 희생하시고, 친일파는 여전히 득세한 가운데 선열의 고귀한 희생정신은 민족주의 이데올로기에 위선적으로 이용되어질 뿐이었다.

유다가 패망할 때 예레미야 선지자는 시드기야 왕에게, 느브갓네살에게 항복할 것을 예언자로서 전달하신다. 그리고 유다의 많은 청년들이 바벨론의 고관대작에까지 오른다. 이는 이완용이나 김성수 씨 일가의 행태와 다르다. 이스라엘은 70년 만의 귀환이 예언되어졌고, 그 나라에서 최선을 다해 정직하게 하나님을 섬기며 살아남으면 다시 이스라엘로 귀환할 것이라는 믿음하에 이들은 이렇게 한 것이다. 그리고 느헤미야나 에스라 등은 이스라엘 귀환과 회복을 위해 엄청난 노력을 기울인다.

---

205) 신채호, “조선혁명선언”, 한국의 근대사상(전게서), pp.345-353

206) 김일성도 세기와 더불어 책에서 안창호의 노선에 대해 비판적이다. 그러나 그 인물 자체에 대해서는 존경을 표하고 있다. 전게서, pp.81-84 및 pp.285-300

이완용 등이 이런 안목을 가지고 일제에 부역하지는 않았다. 그저 자기 이익을 찾기에 바빴을 뿐이다. 느헤미야는 이스라엘의 땅을 사들이지 않았다. 그러나 이완용 등은 일제 강점기를 이용해 부를 축적하기에 여념이 없었다.

근대화 운동의 대표적인 것이 1962년에 시작된 수차의 경제개발 계획 및 '살기 좋은 내 마을 우리 힘으로 만드세'로 시작되는 노래로 특징적인 '새마을 운동'이며, 이는 1970년부터 시작되었다. 또한 국민 일반에 대해 이데올로기적 통제의 필요성에 따라 1968.12월에 제정된 국민 교육 헌장은 명치 유신 초기 천황제 이데올로기에 입각한 황국 신민적 인간상을 육성하기 위해 반포했던 〈교육칙어〉와 내용 형식이 비슷함에도, 민족중흥과 자주 독립, 국가건설의 표제들을 세워[207] 이데올로기의 도구적 의무를 다했다. 일반 국민은 박정희의 친일 경력을 살펴볼 기회를 삭제당한 채 오히려 반일적 민족주의 이데올로기에 심취되어 가며, 구국의 근로 활동을 하게 된다.

해방 이후 반민특위가 무참히 해체되고 친일파가 다시 득세하는 속에서 친일파마저도 반일 감정을 내세우며 민족주의자로 행세하는 아이러니가 벌어진다. 이 과정에 이승만의 이중성이 부패 확장에 상당한 기여를 하게 된다. 그리고 이들은 친일 콤플렉스를 반공, 극우로 가리는 행태를 벌인다. 그리고 대다수 국민은 이러한 사실에의 접근에 차단당한 채 누가 진정한 민족주의자였는지를 모르고서 더욱 민족주의 의식에 심취되어간다. 조선일보가 95년도에 꾸며가는 '이승만과 나라 세우기' 프로그램

207) 권태억 외 4인, 자료 모음 근현대 한국탐사(전게서), pp.393-394

에 대한 논란은 이러한 역사를 잘 보여주는 한 예가 된다.

그러한 과정 속에서 한국 자본주의는 진정한 민족주의 이데올로기에 심취되고 Necessita'에 몰린 노동자, 농민, 관료, 군인, 기업가, 국민 대중이 주체가 되어 발전되어가며 많은 피땀이 흐르게 된다.

그러나 그 열매는 아직도 그 노력의 주체들에게 제대로 분배되지 못하고 있는 형편이다. 이러한 것은 일제 강점기에 고생한 독립 유공자에 대한 처우 문제 및 위안부 할머니들의 삶에서도 분명히 드러나며, 그 외에 부동산 문제 등 경제 정의에 관련된 문제에서도 여실히 나타나는 것이다. 그런데 이 불평등과 왜곡의 핵심이 바로 이 땅에 여전히 반성과 돌이킴 없이 독버섯처럼 살아있는 가라지와 같은 위장 민족주의자들인 것이다. 사람은 누구나 잘못을 저지를 수가 있다. 그러나 더 중요한 것은 그 후에 어떻게 하는가 하는 것이다. 삭개오의 반민족적 행위에 대한 반성과 갚음이 그를 12 제자의 하나인 마태[208]로 변화시킨 것이다. 또한 예수님께 용서받은 삭개오는 자기가 자기 민족에게서 토색한 것이 있으면 4배로 갚겠다고 말씀드린다.[209] 이스라엘의 율법에서 도둑질은 4배로 갚아야 했던 것을 삭개오가 실천한 것이다. 일제는 이 도둑질 배상을 제대로 안하고 있다.

오늘날 한국의 위장 민족주의자들에게 요구되어지는 본보기이다. 이런 점에서 최근 친일파 송병준의 후손이, 1904년 송병준이 친일단체 일진회를 만든 뒤 1905년 을사조약 체결 당시 외교권 이양을 주장한 '일진회 선언문'과 1909년 일진회 총재로

---

208) 개역성경, 마태복음, 9-10장

209) 개역성경, 누가복음, 19장 1-10절

서'일진회 합방 성명서'를 발표했으며 이완용 내각에서 농상공, 내무대신을 지내는 등 매국적 활동을 한 것 에 대한 속죄의 뜻으로 선친이 '조선의 땅을 찾더라도 어려운 이웃을 위해 쓰라'고 한 유언을 따라 그 재산을 사회에 헌납하겠다고 한 것[210]은 바람직한 일이다. 정말 용기가 있어서 자신의 과오를 솔직히 인정하지는 못할지라도 자신을 애국적 민족주의자로 포장하는 '외식하는 서기관과 바리새인'이 되어서는 아니 되겠다. 그런데 우리 사회의 상층부 인사들 중에 이러한 사람들이 많다는 것이 심각한 문제가 된다. 이러한 행태는 Ozio를 증대시킬 뿐이다.

Eckert가 경성 방직의 성장에 핵심적 역할을 했다고 평가한 3인인 김연수, 박승직(두산그룹의 연원이기도 하다.), 박영효는 반민족 문제 연구소가 낸 친일파 99인[211]에 모두 포함되어 있어 대표적 친일파의 3%이상을 한 기업에서 배출하고 있는 것이다. 이제는 그 후손들이 자기 조상을 턱없이 미화하는 행태도 버려야 할 것이다. 성경이 위대한 책으로 남는 것은 조상의 잘못까지 진실하게 기록하는 자세 때문이기도 하다.

그러면 이제 일제 강점기에 대한 역사적 재평가를 내려보기로 하겠다. 역사는 그 해석이 제대로 되어질 때 후대에게 진정한 의미를 가질 수 있다. 사료의 많음이 꼭 훌륭한 역사 해석을 보장하는 것은 아니다. 사료 자체도 이미 그 선택 과정이 해석을 내포하게 된다[212]는 것을 E.H.Carr는 "What is the History?"

210) 한겨레 신문, 95.2.11일, 19면

211) 반민족 문제 연구소 엮음, 친일파 99인(돌베개, 1994)

212) E.H.Carr, 역사란 무엇인가, 곽복희(역), (청년사, 1993), pp.17-47

에서 이야기하고 있다. 따라서 보다 중요한 것은 역사 해석자의 가치관이 된다. 그리고 이것은 상식과 합리에 가장 부합될 때 그 유효성이 검증되어진다고 볼 수 있다.

이렇게 볼 때 마키아벨리의 역사관이 우리의 역사를 이해하는데 오히려 도움이 되어진다고 보인다. 당시의 이탈리아 반도와 한반도의 상황이 흡사한 면이 있기 때문이기도 하다. 따라서 Fortuna(역사의 신 또는 운명), Necessita'(결핍 또는 곤란한 지경), Ozio(부패 또는 타락)라는 마키아벨리의 개념을 통해 일제 강점기를 재평가할 수 있다고 본다.

Discorsi에서 마키아벨리는 로마를 사랑하는 Fortuna가 그 Ozio를 없애주기 위해 Necessita'를 주어, 주위의 국가에 패배케 했다고 말했던 것과 같이 '역사의 신'이 또는 이스라엘에 있어서도 이미 예언되어진 대로[213] 그들이 동족 간에 착취를 일삼고 공의가 사라졌을 때 그 부패에 대한 댓가로 바빌론에 유수되었다가 '그루터기로 남은자'들에게 독립이 주어졌듯이 '한민족의 남은 자'들을 통해 '조국 광복'을 얻게 하고 그 Ozio를 청산하며 '조국 근대화'를 위해 재노력하게 하는 것으로 우리의 역사를 재해석할 수 있다는 것이다. 마키아벨리는 여기에서 다음과 같이 이야기한다.[214]

"인간은 운명에게 몸을 맡길 수는 있어도 그것을 거역할 수는 없다. 또 인간은 운명이란 피륙을 짜나갈 수는 있어도 그것을 찢어 버릴 수는 없다. 그러나 체념할 것은 없다. 운명이 무엇을 기도하고 있는지 모를 일이며, 또 어느 골목을 지나 어디서 그

---

213) 성경전서, (개역 개정판), 이사야서 6장, 대한성서공회, 2005

214) Machiavelli, 전게서, pp.406-408

얼굴을 내밀는지 도무지 알 수 없기 때문에 언제, 어떠한 행복이 어디서 뛰쳐나올는지, 희망을 가지고 어떤 운명에 조우하는 일이 있어도, 또 어떤 역경에 놓인다 하더라도 좌절하지 않고 감연히 일어서야 하는 것이다.”

이 민족이 Virtu'를 가지고 Necessita'와 Ozio를 상당히 극복하여 현재의 이러한 발전에 이르기는 했지만 아직도 Ozio가 완전히 청산된 것은 아니다. 그리하여 부동산 투기 및 부동산 소유 편중(무주택 가구 수가 70%를 넘는 상황에서 이들의 행태는 국민 여력을 모조리 주택 마련이라는 상대적으로 비생산적인 곳에 투입하게 한다. 그렇지 않다면 이들 무주택 가구들은 자아발전을 위해 교육 등에 더 많은 자본을 투자할 일이 있을 것인데 상위 계층에 비하여도 절대 비율적으로도 적은 부분을 이 교육 부분에 투자함으로써[215] 국가적으로 볼 때 가장 큰 해악 중 하나를 발생시키는 직접적 원인이 되고 있다.), 지하 경제, 공무원 비리, 정경유착, 정치 비리, 부실 공사, 악덕 기업, 그 외 각종 반인륜적 사회 행태가 우리를 괴롭힌다.

그러나 이는 마키아벨리가 이야기하듯이 Virtu'를 가진 탁월한 주체에 의해서 청산되어질 수 있다. 그리고 이는 쉽게 끝나는 작업이 될 수 없다. 개인이 매일 이를 닦고 씻고 하는 것이 필요한 것과도 같이 국가에 있어서도, 근본적 해결 (암제거 수술 등과 같은)과 함께 상시적 청결 관리가 부패 척결과 방지의 지름길인 것이다.

제3세계의 발전에 대하여 종속이론, 저 발전론, 종속 발전론,

---

215) 통계청, 94년도 도시 근로자 가구 가계수지 동향(한겨레 신문, 95.3.24)

세계 체제 이론 등이 있다. 이들 이론의 공통점은 제3세계의 발전에는 구조적 제약 요인이 있다고 하는 것인데, 마키아벨리식으로 본다면 그 구조 속에서 매판 세력은 Ozio의 핵심이 된다. 이러한 이론들에서 논의하는 '구조'는 Ozio와의 관계에서 서로에 대한 교집합과 차집합이 공집합이 아니다. Ozio와 구조는 제약"조건"의 부분집합이 되어질 수 있다. Fortuna도 "조건"의 부분집합이 되어진다. 그리고 "주체"는 이들 위에 발을 붙이고 있다. 따라서 조건이 주체에 결정적 영향 관계에 있지는 못하다. 다만 주체가 Virtu'를 가지고 Ozio에 완전히 두 발을 다 집어 넣지 않고 살아 있을 때만 그렇다. Ozio는 죽음의 늪과도 같다. 그러나 거기에서는 '환상의 성'이 우리를 끊임없이 유혹한다.

이러한 관점에서 볼 때 Eckert가 보는 데로, 주체성을 망각하고 초기 축적 과정부터 각종 Ozio에 물든 행태를 보인 김성수씨 일가가 한국 자본주의의 기원의 기수가 되었다는 것은 자본주의를 조금이라도 인류에 기여한 것이라고 가정한다면 그 발상부터 오류가 있으며, 일제 식민지 기여설이라는 것도 역사에 대한 인식 부족을 드러낼 뿐이며, 역사가 무엇이고 어느 방향으로 가는지에 관한 역사 철학을 마키아벨리에게 다시 배워야 할 필요가 있다.

특히 마키아벨리는 부패의 가장 큰 원인이 불평등에 기인한다고 보며[216] 공화국은 부유하여야 해도 그 시민은 그렇지 않아야 하며 평등해야 그 공화국은 오래 존속할 수 있다.[217]고 한

216) 마키아벨리, 전개서, pp.306-310

217) 상게서, pp.486-488

것을 주목해야 한다.

그러므로 한국 자본주의 기원의 주체는 민족의식을 끝까지 체내에 담고 물심양면으로 저항했던 국민(Nation)이며, 그 시작은 오히려 조선 실학파에서 사상적으로 시작되어, 일제라는 암흑기, 혹한기를 거치면서 죽지 않고 저항하고 있다가, 한국전쟁 이후 특히 60년대 이후 전 민족적 각성과 함께 꽃을 피우기 시작했다고 보는 것이 타당하다.

그러나 이것도 다시 이 한반도 안에 Ozio(부패)의 상태가 Fortuna(운명의 신)가 참아 줄 수 없을 정도로 커진다면 또 다른 혹한기를 맞아 얼어 죽어 버릴 것이다. 그리고 현재도 이 땅에 그 조선 말의 Ozio의 열매인 분단이 생생한 역사의 산 증인으로 우리 눈 앞에 있는 것이다.

Eckert도 이러한 어두운 유산에 대하여 그 저서의 말미에서 언급을 하고 있다. 즉 한국에는 이러한 발전의 와중에 어두운 면이 많이 남게 되었다는 것이다. 그러나 이 말은 명암의 원인을 제대로 평가하지 않은, 현상 파악적이고 감상적인 표피관찰에 지나지 않는 언사이며, 겉으로는 한민족을 상당히 배려하는 문구로 보이기도 하나 실은 그 논지의 전체적 맥락으로 본다면, '등치고 배 문지르는' 듯한 태도이며, '때리는 시어미보다 말리는 시누이가 더 밉다'는 우리의 속담을 연상케 한다.

한국사회의 어느 정도의 물질적 풍요 등을 비롯한 발전이 긍정되어지고 이것이 자본주의의 생산성의 우수성과 관련되어진다는 것을 기본 전제로 할 때라도 (그러나 이것도 한반도의 특수한 상황과 관련지어 종합적으로 고찰할 때 문제점이 전혀 없지는 않다) 現 발전과 일제 강점기와의 연계 단절성 논의가, 일제 이전에는 조선에 자본주의의 기원이 없었다는 Eckert 논의의 반박의 절대적 증거는 되지 않는다.

다만 한국적 자본주의의 기원이 산업화는 차지하고서도 사상적으로는 일제 이전에 싹텄다는 점에서 맹아론의 논의는 일부 타당성이 있는데, 이것이 일제 강점기에 짓밟히고, 일제의 자본주의가 이 땅에 지점 형태로 수입되어지면서 오히려 기존의 맹아의 숨통을 누르지만 그것을 멸종시키지는 못하다가, 일제의 퇴각 후 '주체적 맹아'는 다시 그 기색을 회복하고 꽃을 피워 가는데 일제식 자본주의는 이 땅에 여전히 잔존하여 각종 병폐를 유발하는 역기능을 주로 하게 된다는 것이다.

여기에서 사용하는 '주체'라는 단어는 북한이 사용하는 것과 다르다. 왜 이 좋은 단어를 북한의 정권이 독점해야 하는가! 조선 말의 부패와 일제 잔재의 미청산은 한국 사회가 총체적 부실이라는 진단을 받게 되는 핵심적 요인이 된다. 그럼에도 맹아는 가라지와 싸우면서 성장을 거듭하여 현 발전의 중추적 역할을 담당하게 되는 것이다.

그러나 이 가라지를 뽑는 것은 쉬운 문제가 아니며, 섣불리 이를 뽑아내다가는 本 작물도 그 뿌리가 가라지의 뿌리에 같이 얽혀 뽑히는 사태가 벌어질 것이다.[218] 따라서 早期에 가라지를 뽑다가 본 작물까지 傷하게 하는 불상사를 초래하기보다는 본 작물 강화, 제초제 처방 및 약화 가라지 제거 등의 다각적 전략 전술의 구사가 필요하다. 그리고 때가 되었을 때 가라지의 전체 제거가 요구되는 것이다.[219]

---

218) 상게서, 마태복음, 13장 24-30절

219) 상게서, 13장 36-43절

여기에서 필자 김광종은 앞서 이러한 한국 자본주의의 기원, 발전 문제로 여러 차례 논의하였던 것과 관련하여 〈주체적 조건 발전론〉이라는 가설을 세워 보는데 이는 세계 어느 국가의 발전에 대해서도 성립할 수 있는 것으로 보이며 근대화론, 제국주의 비판론, 세계체제론, 종속론 등을 극복할 수 있는 이론적 구성으로 생각된다. 따라서 현재의 未 발전적 제3세계들도 이 가설에 따라 그 상태를 설명할 수 있다고 본다. 이 가설의 핵심사항을 정리하면 다음과 같다.

1. 세계의 모든 국가는 주체로 파악될 수 있으며, 그 주체의 핵심은 그 국민 또는 민족(Nation)이다.
2. 조건이라 함은 국제적으로는 세계체제 혹은 구조 및 부패, 국내적으로는 각종 부패, 구조 등을 포괄한다. 한편 부패는 구조와 교집합을 보유하며 차집합이 존재한다.
3. 이 조건 내에서 가장 절대적 요인은 부패이다. 이 부패가 절대적이면 주체는 소멸한다. 이 부패에는 각종 불평등이 핵심적 요소가 된다.
4. 부패 외의 다른 요인들, 예를 들면 경제적, 군사적 취약성은 주체 소멸 요인까지에 다다르지 않지만 주체의 발전에 상당 정도 영향을 미치며, 주체 제약 요인이 된다.
5. 부패로 인한 소멸이 아닌 경우를 제외하고는 이 주체가 때로 국권 상실 등의 치명적 손상을 입기도 하나 이 주체의 의지에 따라 그러한 구조, 체제적 요인은 극복 가능하다.
6. 중심부도 부패가 어느 정도를 넘으면 주변부로 언제든지 전락할 가능성이 존재한다.

7. 반 주변부나 주변부도 그 의지 여하에 따라 특히 경제적으로 부패 척결에 힘입어, 구조적 제약 요인을 극복하면서 중심부로의 진입이 결정론적으로 불가능한 것은 아니다.

자신의 역사를 주체적으로 파악하지 않고 특히 Eckert의 논의대로, 자신을 식민지화하고, 국가의 존속 자체와 민족 명맥 유지를 말살시키려 한 일제와 그 하수인에게서 한국 자본주의의 기원을 찾으려 하는 것은 역사의 기본과 근대 국민국가에 대한 지식을 알지 못하는 논리이다.

또 이 논리가 가지는 다른 하나의 중요하며 간과할 수 없는 파생적 오류는 현재 한국 사회가 사회주의권의 붕괴 속에서 자본주의의 승리를 구가하고 있는 와중에도 여전히 심각히 왜곡된 자본주의 사회의 병폐를 가지고 있는데 이의 근본적 원인을 제거 논의 대상에서 말소시켜 버리는 결과를 초래한다는 것이다.

이렇게 되면 근대 국가의 형성과정에서 나타났고 여전히 우리를 괴롭히는 문제이며 해결을 고대하는 분단 및 각종 사회 문제의 해결은 요원해지는 것이다. 로버트 콕스의 논의[220]를 대입시켜 본다면 Eckert는 미래의 대안을 찾기 위한 비판 이론적 자세를 견지하고 있기보다는 현상 유지적으로 문제 해결에 주안점을 두는 연구 태도로 한국 자본주의의 기원을 다룸에 있어, 마치 화학자가 분자를 다루고 물리학자가 힘과 운동을 다루듯이 변수들을 다루는 데 있어서 방법론적으로 가치 중립적 입장을

---

220) Robert W. Cox, Social Forces, State and World Orders;Beyond International Relation Theory, in R.B.J.Walker(eds.) "Culture, Ideolgy and World Order", pp.258-270

취한다고 하면서 오히려 한국의 민족주의적 학자들을 애국심으로 눈이 먼 사람들처럼 매도하고 있지만, 그 자신이 암묵적으로는 過去史이지만, 아직 완벽히 해결되지 않은 문제이며 또한 현존하는 지배적인 질서인, 일제의 침략 결과 및 친일 매판적 세력의 건재를 옹호해준다는 효과를 갖기 때문에 결코 가치 중립적일 수 없고, 그 자신의 눈에 수건이 씌여, 보이는 것을 보지 못하는 오류를 범하고 있다.

오진을 하는 의사는 한 생명의 존속에 영향을 미치지만 역사에 대한 오류 해석자는 한 민족의 존폐에 영향을 줄 수도 있는 것이다.

Eckert식 역사 해석에 賢答을 하는 것이, 물질을 빼앗는 것보다 마음을 빼앗아 좀 더 쉽게 패권을 유지하려는, 국제 정치 전략에 현혹되지 않고 지배보다는 공존과 공의를, 피지배에 대해서는 지혜와 항거를 모색함으로써 개인과 사회와 국가와 세계의 평화를 유지케 하는 한 방책이 될 것이다. 이러할 때 한반도만의 평화가 아닌 동양의 평화, 세계의 평화를 위해 일제에 항거하고 이토 히로부미를 저격한 안중근 의사의 넋을 이어받는 세계인이 될 것이며 신은 우리의 편이 되어주실 것이다.

1943.12월에 황국신민으로서의 일제의 聖戰에 목숨을 바치자는 글을 매일신보에 실었다고 Eckert가 인용한 김성수 씨에 의해 1920.4에 창간된 동아일보의 1995.2.20 社說에 실린 '다시 보는 안중근 의사' 全文을 봄으로써 김성수 씨에 대한 Eckert의 평가가 얼마나 아이러니컬한 역사를 오늘날 이 땅에서 보여주고 있는지를 살펴보겠다.

"올해로 해방 50년, 아직도 일본에서는 일본제국주의의 한국 강점과 대륙침략에 대한 사죄가 〈역사를 충분히 검증하지 않은 일〉이며 일본을 자자손손 범죄 국가로 낙인찍는 어리석은 일이라는 목소리가 높다. 이러한 때 일본 외무성 외교 사료관에서 발견되어 본지에 연재된 안중근 의사의 최초 전기는 제국주의 일본이 한국과 아시아를 어떻게 유린했고 한국의 2천만 민중이 어떻게 저항했는가를 다시 한번 증언하고 있다는 점에서 소중하다.

1909년 10월 26일 만주 하얼빈 역두에서 한국침략의 원흉 이토 히로부미(伊藤博文)를 砲殺한 안 의사는 자신의 거사가 〈동양의 대국적 평화를 위해 우리 민족의 권리를 되찾고 동양의 평화를 파괴한 역적을 쓰러뜨린 것〉이라고 진술했다. 이 진술을 오늘의 시점에서 다시 읽는 감개는 숙연하다. 당시 그의 의거와 순국이 갖는 사상적 의미가 과거를 호도하려는 오늘의 일부 일본인들을 향한 선지자적 경고까지 내포하고 있는 것으로 읽혀지기 때문이다. 개화론자이자 민권론자이며 애국 계몽운동 운동가이자 의병 대장이었던 젊은 휴머니스트 안중근(安重根, 1879~1910) 의사는 제국주의 일본을 〈진보와 人道의 적〉으로 규명했다. 그가 이토를 포살한 것은 일제의 한국 침략에 대한 독립전쟁의 일환인 동시에 이토야말로 동양 평화를 깨뜨린 원흉이라고 보았기 때문이다. 이 당당한 명분이 있었기 때문에 안 의사는 끝까지 자신을 만국 공법에 의해 재판해 줄 것을 일본에 요구하고 옥중에서 태연하게 자서전과 동양 평화론을 집필할 수 있었다.

이번에 발견된 안 의사의 전기는 안 의사가 사형선고를 받고도 〈너희들은 내 육체를 죽일 수 있을지언정 내 마음을 죽일 수는 없다.〉고 차갑게 웃었다고 전한다. (이와 관련한 말씀은 성경에 나오는 예수님의 말씀이다. 안 의사는 카톨릭 신자이셨다. 목숨밖에 죽일 수 없는 자들을 두려워하지 말라고 예수님은 말씀하셨다. 영과 혼까지 모든 것을 멸하시는 하나님을 두려워하라 하셨다: 필자 주)

이러한 그의 영웅적 삶과 죽음이 일제에 조국을 빼앗기고 울분에 떨던 당시의 청장년들에게 얼마나 크고 충격적인 영향을 미쳤는가도 이 〈통치 참고용 비밀문서〉는 기록하고 있다.

안 의사는 의거 이듬해인 1910년 3월 26일 32세 이상주의자의 짧은 생애를 旅順 감옥에서 마감했다. 그의 조국독립과 동양평화를 향한 비원은 35년이 흐른 1945년 8월 15일에야 이루어졌다. 그로부터 반세기가 흘렀다. 그 시절 안 의사가 품었던 인류 보편의 이상과 민족적 긍지가 오늘 어떻게 구현되고 있는가를 살피는 일은 소중하다. 한국의 해방 50년, 일본의 패전 50년에 안 의사의 최초 전기가 발견된 것을 우연으로 돌리지 않게 하기 위해서는 그의 미완성 평화론을 후손들이 현실에 실현해 나가는 진지한 모색이 있어야 한다. 그의 책임은 한일 양국 공동의 몫이 돼야 할 것이다."

참으로 읽는 이의 마음을 숙연케 하는 사설이며 김성수 씨가 관련한 언론사의 사설이다.

그런데 현실은 한일 양국이 아닌 제3국인 미국의 학계에서는 Eckert의 논지에 상을 수여하고 일본은 고사하고 한국에서조차 동아일보 95.2.19일에서는 김성수 씨 40주기를 맞아 대대적으로 그의 민족주의 정신을 홍보하면서 경성방직을 민족기업의 본보기로 소개하고 있기까지 하다. 이미 '친일파 99인'이라는 책자[221] 에서는 그 실상을 분명히 드러내 줌에도 손바닥으로 하늘을 가리는 행태가 여전히 벌어지고 있다.

이제는 功過의 주체를 '역사의 신'과 자신에게서 찾는 주체적 역사 해석만이 溫故知新으로 과거의 실패를 반복하지 않으며 변화하는 역사에 부단히 적응하여 건전한 민족으로 살아남을 수 있는 기본 태도를 제공하는 것임을 명심해야 할 것이다.

Eckert도 이러한 역사 철학을 가지고서 남의 나라, 아직도 원한이 다 끝나지 않은 사람들의 눈물이 흐르고 있는 나라의 역사를 해석할 때 '빈곤의 철학'에 대하여 프루동이 마르크스로부터 받았던 '철학의 빈곤'이라는 평가[222] 및 윤리의 부재라는 평가를 막스 베버로부터 받지 않을 것이다.

자본주의가 어찌 그리도 좋은 것이어서 한국 자본주의를 둘러싸고 너도 나도 이것이 나 때문에 생겼느니 너 때문에 생겼느니 하며 논쟁을 하게 될 이유가 어디에 존재하는 것인가 하는 문제를 다시 생각해 보아야 한다.

마르크스가 Marie Augie의 말을 인용하면서 " '화폐가 한쪽 볼에 핏자국을 띠고 이 세상에 나온다.'고 하면, 자본은 머리에서 발 끝까지 모든 털구멍에서 피와 오물을 흘리면서 이 세상에 나온다고 말해야 할 것이다."[223]고 하며 "자본은 오로지 그 고용을 필요로 하는 노동과의 관계에서만 존재할 수 있다."[224]고

221) 윤해동, "김연수, 민족 자본가의 허상과 친일 예속 자본가의 실상", 친일파 99인 제2권, 반민족 문제 연구소 엮음(돌베개, 1994), pp.175-186

222) 마르크스, 철학의 빈곤:M.프루동의 '빈곤의 철학'에 대한 응답, 강민철, 김진영(역), (아침, 1988)

223) 마르크스, 자본론(전게서), p.956

224) 상게서, pp.91-973

한 자본주의에 대한 인식을 부정하며, 한국 자본주의가 이 땅의 국민과 세계인 모두에 희망의 떡을 나눠 줄 수 있는 寶庫임을 증명해야 할 것이다. 그것이 6.25로 남북이 사회주의와 자본주의의 대리전을 치른 최초의 전쟁 희생양이 된 것에 대한 의무이다.

특히 이 과정에 Ozio의 핵심이 불평등에서 기인한다는 마키아벨리의 말을 깊이 새기고 역사사회학자들이 근대 국민국가의 군사 중심성을 축으로 한 이데올로기로서의 민족주의와 산업화의 진전을 논의하지만 오히려 근대 국민국가의 역사는 公義 중심성을 따라 군사, 자본주의, 민족주의 등이 어울려져 승패를 가려갔다고 보아야 한다는 점에서 나라 안의 불평등과 나라 간의 불평등을 동시에 해소해가는 '동방의 등불', '의지(Virtu')의 민족'이 되어 세계사에 이바지하여 '공존의 민족주의의 본질'을 보여주어야 할 것이다.

한편 로버트 콕스가 미래의 세계 질서 재편을 세 가지로 예측하였는데 다음과 같다.

1. 생산의 국제화를 통해서 발생하는 전 지구적 사회 권력 구조에 기반하는 헤게모니 출현에 대한 전망

2. 강대국들 간의 비헤게모니적인 권력 구조가 서로 갈등 관계에 놓인다는 것

3. 가장 실현 가능성이 희박한 예측으로서 중심 국가의 지배에 대항하고, 주변 국가들의 독자적인 발전과 중심-주변의 관계를 청산하려는 제3세계 동맹의 반헤게모니의 성장. 이 중에서 이 제3형이 이루어지기 위해서는 반헤게모니는 중심 국가에 대하여 도전할 만큼 충분한 권력의 집중이 필요하고, 나아가 세계 질서

에 대하여 대안을 제시할 수 있어야만 하는데 이 때 Nics의 움직임이 그 전조라고 할 수는 있지만 반헤게모니 세력이라고 부르기에 아직 미흡한 이유는 이들이 세계 정치 경제 질서에 대한 설득력이 있는 대안을 내놓고 있지 못하기 때문인 것으로 보며 반헤게모니에 대한 전망은 제3세계가 미래에 어떻게 발전해갈 것인가라는 문제와 밀접한 연관을 맺고 있다고 파악하는 것[225]과 관련하여 보면 한국이 세계 질서에 대한 대안을 제시함으로써 약한 자를 들어 강한 자를 부끄럽게 하시는 창조주 신이 주관하시는 역사의 아이러니를 이루는 주역이 되어질 수도 있는 것이다.

그러나 이 과정에 무엇보다도 중요한 것은 자본주의라는 생명나무 열매를 에덴동산이라는 미래의 세계에서 영영 멀어지게 하는 타락의 걸림돌로 삼아서는 안 된다는 것이며 대내외적으로 사랑과 공평과 정의와 평등의 오병이어[226]의 기적으로 이끌어가는 한 알의 죽은 겨자씨가 되어야 한다는 것이다.

도둑이 오는 것은 도둑질하고 죽이고 멸망시키려는 것뿐이라는 요한복음 10장 10절에 나오는 구절을 에커트 교수와 식민지 기여론자들은 다시 한번 깊이 생각해야 한다.

---

225) Robert Cox, 전게서, pp.287-290

226) 개역성경, 마태복음 14장에는 배고픈 무리를 위해 떡 다섯과 물고기 두 마리로 4000여 무리를 먹이시는 예수의 기적이 나온다. 그러나 이 본문의 핵심은 기적에 있지 않고 배고픈 무리에 대한 사랑과 이에 대한 제자들에의 예수의 솔선수범, 어떻게든 이들을 먹이려는 적극적인 자세의 중요성을 가르치는 것에 있는 것이다. 이렇게 볼 때 오늘날도 자신이 가진 적은 것을 가지고 이 세계의 불쌍한 각종 인종을 살리려는 노력이 우리 한민족에게 요구되는 것이다.

참 고 문 헌

경국대전, 한우근 외(역), 한국정신문화연구원, 1992.

구자경, 오직 이 길밖에 없다, 행림출판, 1994.

국사편찬위원회, 한민족독립운동사, 1987.

권태억 외 4인, 자료모음 근현대 한국 탐사, 역사비평사, 1994.

김옥균, 갑신일록, '한국의 근대사상' 삼성출판사, 1989.

김옥균 전집, 아세아문화사, 1979.

김우중, 세계는 넓고 할 일은 많다, 김영사, 1991.

김일성, 세기와 더불어, 조선로동당 출판사, 1992.

단재 신채호 전집, 단재 신채호 선생 기념사업회(편), 1987.

도산 안창호, 흥사단 출판부, 1987.

도산 사상 연구회 편, 安도산 全書, 1993.

몽양 여운형 전집, 몽양 여운형 선생 전집 발간위원회(편), 한울, 1991.

미하원 국제관계위원회 국제기구 소위원회(편), 프레이저 보고서. 서울대 한미관계연구회(역), 실천문학사, 1986.

박제가, "북학의," 한국의 실학사상, 삼성출판사, 1989.

박정희, 대통령 연설문집 1-6권, 대통령 비서실.

박지원, "연암집", 한국의 실학사상, 삼성출판사, 1989.

백범일지, 백범정신선양회(엮음), 하나, 1992.

상공부, 1989년도 한미 슈퍼 301조 협상백서, 1990.4.

서재필, "독립신문 제1호 논설," 한국의 근대사상, 삼성출판사, 1989.

성경전서 (개역개정판), 대한성서공회, 2005

신채호, 안병직(편), 한길사, 1979.
안중근 사건 공판기, 최홍규 校註, 정음사, 1979.
안중근 의사, 최이권(편역), 법경출판사, 1990.
외무부, 보험 및 지적 소유권 최종합의안, 86.7.21.
유길준, 서유견문, 김태준(역), 박영사, 1979.
이건희, 삼성 신경영, 삼성, 1993.
이병철, 호암자전, 중앙일보사, 1986.
이 익, 성호잡저, 이익성(역), 삼성문화재단, 1972.
장영신, 밀알 심는 마음으로, 동아일보사, 1994.
장지연, “시일야방성대곡,” 한국의 근대사상, 삼성출판사, 1989.
정약용, “경세유표,” 한국의 실학사상, 삼성출판사, 1989.
------, 목민심서 4권(다산연구회 역주), 일조각, 1994.
------, “相論,” 실학연구입문, 일조각, 1994.
------, 대학공의, 이을호(역), 명문당, 1992.
------, 다산시선, 송재소(역), 창착과 비평사, 1993.
정주영, 나의 삶 나의 이상 시련은 있어도 실패는 없다,
현대문화신문사, 1991.
한말 저항 시, 임중빈(편), 정음사, 1983.
한용운, “조선불교유신론,” 한국의 근대사상, 삼성출판사, 1989.
------, “조선 독립의 書,” 상게서.
황사영, 황사영 백서, 윤재영(역), 정음사, 1981.
황준헌, 조선책략, 조일문(역), 건국대출판부, 1988.
황 현, 매천야록, 이장희(역), 대양서적.

강만길, 조선후기 상업자본의 발달, 고려대출판부, 1973.
------, 고쳐 쓴 한국 근대사, 창비, 1994.

------ 외, 민족주의와 기독교, 민중사, 1981.
강재언, 한국근대사 연구, 청아, 1982
공제욱, 1950년대 한국의 자본가 연구, 백산, 1993.
기독교사상편집부, 한국역사와 기독교, 대한기독교서회, 1983.
김경일, 일제하 노동운동사, 창작과 비평사, 1992.
김광진 외 2인, 조선에서 자본주의적 관계의 발전,
사회과학출판사, 1973.
김광종, 장단주기분배론 -생활수단 및 생산수단의 장단주기복합
분배론, 나라와 義, 2009.
-----, 민주제적 질서 속에서 그리스도 통치론, 부크크, 2020.
-----, 대한민국 부동산 영구 평화론, 부크크, 2021.
김규태, 이영주, 미국의 대외시장 개방 압력수단 운용현황분석,
산업연구원, 1991.
김기정, "세계체제론," 현대국제정치학, 이상우, 하영선(편),
나남, 1992.
김남두, 미국의 무역 장벽, 대외경제정책연구원, 1992.
김문식 외 4인, 일제의 경제침탈사, 현암사, 1982.
김상배, "장주기 국제정치이론," 현대국제정치이론, 하영선(편),
나남, 1991.
김수행, 정치경제학원론, 한길사, 1991.
김영호(편), 근대 동아시아와 일본제국주의, 한밭, 1983.
김용구, 세계외교사, 서울대출판부, 1990.
김용섭, 조선후기 농업사 연구 1.2. 일조각, 1990.
김윤환, 김낙중, 한국노동운동사, 일조각, 1993.
김응교, 신동엽, 사계절, 1994.
김인걸, 강현욱, 일제하 조선 노동운동사, 조선노동당출판사,

1964.(일송정 역사신서 3,1989.)
김 준, "일제하 노동운동의 방향 전환에 관한 연구," 일제하의 사회운동, 한국사회사연구회, 1987.
노길명, 가톨릭과 조선후기 사회변동, 고려대 민족문화연구소, 1988.
박상섭, "근대국가의 군사적 기초,"정경세계 국제사회과학학술연구소.
------, "근대 국제체제의 사회학을 위한 시론," 한국정치학회보 제25집 제11호, 1991.
------, 자본주의국가론. 한울, 1985.
박영서, 만주 노령지역의 독립운동, 독립기념관 한국독립운동사 연구소, 1989.
박운서, 통상 마찰의 현장, 매일경제신문사, 1989.
박현채, 조희연(편), 한국사회구성체논쟁, 죽산, 1992.
반민족문제연구소 엮음, 친일파 99인, 돌배게, 1993.
백경남, 국제관계사, 법지사, 1990.
서중석, 한국 근현대의 민족문제 연구, 지식산업사, 1989.
송건호, 서재필과 이승만, 정우사, 1980.
신용하, 3.1 독립운동, 독립기념관 한국독립운동사연구소, 1989.
안병태, 한국근대경제와 일본제국주의, 백산, 1982.
안병직, "중진 자본주의로서의 한국경제," 사상문예운동 제2호, 풀빛, 1989.
안병직 외3 인 편, 근대조선의 경제구조, 비봉출판사, 1989.
오 성, 조선 후기 상인연구, 일조각, 1994.
오지영, 동학사, 대광문화사, 1984.

유인호, 한일 경제 백년의 현장, 일월서각, 1984.
윤 식, 조현태, 미국의 통상정책결정요인, 산업연구원, 1993.
윤여덕, 한국 초기 노동 운동 연구, 일조각, 1994.
윤영관, "1990년대 국제 경제질서와 한국경제," 정경세계, 92.7.
이광순, "갑오동학혁명의 정신사적 의미," 동학사상과 동학혁명, 청아, 1984
이광호 외, 분단시대의 학교 교육, 교육출판기획실 엮음, 푸른나무, 1989.
이대근 외, 한국자본주의론, 까치, 1984.
이이화, 동학농민전쟁 인물열전, 한겨레신문사, 1994.
이주영, 미국사(증보판), 대한교과서주식회사, 1992.
이한구, 일제하 한국기업설립운동사, 청사, 1989.
임종국(편역), 정신대, 일월서각. 1981.
전석담 외 2인, 조선에서 자본주의적 관계의 발생, 사회과학출판사, 1970.
정재걸 외, 한국교육의 성격과 교직원노조운동, 한국교육연구소(편), 1990.
조기준, 한국기업가사, 박영사, 1973.
------, 한국 자본주의 발전사, 대왕사, 1991.
조동걸, 일제하 한국 농민운동사, 한길사, 1979.
조승혁, 한국공업화와 노동운동, 풀빛, 1984.
주종환, 한국자본주의사론, 한울, 1988.
주익종, 일제하 평양의 메리야스 공업에 관한 연구, 서울대학교 경제학과 대학원 박사학위논문, 1994.
지수걸, 일제하 농민조합운동연구, 역사비평사, 1993.

한백홍, 실록 여자 정신대, 예술문화사, 1982.
한우근, 동학란 기인에 관한 연구, 서울대 출판부, 1971.
한창호, "일제하의 한국 광공업에 관한 연구," 일제의 경제침탈사, 민중서관, 1971.
허광숙 외 2인, 대미통상 산업협력방안, 산업연구원, 1993.
허 인, 이탈리아사, 대한교과서주식회사, 1991.
홍성찬, 한국 근대 농촌사회의 변동과 지주층, 지식산업사, 1992.

나관중, 삼국지연의, 이문열(평역), 민음사, 1995.
高橋幸八郞 외 2인(편), 일본근대사론, 차태석, 김이진(역), 지식산업사, 1981.
中村 哲, 세계자본주의와 이행의 이론, 안병직(역), 비봉출판사, 1992.
梶村秀樹, "동아시아 지역에서의 제국주의체제로의 이행," 한국근대 경제사연구, 사계절, 1983.
堀 知 生, "일본제국주의의 조선에서의 농업정책," 근대 동아시아와 일본 제국주의, 한밭, 1983.
山本有造, "일본의 식민지 투자," 근대 동아시아와 일본제국주의,
한밭, 1983.
村上勝産, "제일은행조선지점과 식민지금융," 근대 동아시아와 일본제국주의, 한밭, 1983.
平 木 實, 조선 후기 노비제 연구, 지식산업사, 1989.

Cicero, 의무론- 그의 아들에게 보낸 편지(허승일 역),

서광사, 1989.
Calvin, John. Institutes of the Christian Religion
기독교 강요, 김종흡 외3인(역), 생명의 말씀사, 1986.
Duus, Peter, 일본근대사, 김용덕(역), 지식산업사, 1983.
Eckert, C.J. Offspring of Emfire, Univ.of Washington
Press, 1991.
Evans, P. Dependent Development, Prinston Press, 1979.
Frank, A.G. "The development of underdevelopment," Imperialism and Underdevelopment, N.R. Press, 1970.
Giddens, A. The Nation-state and Violence, Berkeley Univ. of Califonia Press, 1985.
Gilpin, R. Dependency theory and Modern World System, Westview Press, 1989.
Hegel, 역사 철학 강의, 김종호(역), 삼성출판사, 1989.
Lenin, V.I. Imperialism. Peking; Foreign language press, 1975.
Louis Hartz, The Liberal Tradition in America, AN INTEPRETATION OF AMERICAN POLITICAL THOUGHT SINCE THE REVOLUTION, A Harvest/HBJ Book Harcourt Brace Jovanovich New york and London, 1955
Machiavelli. Discourses on the first Decades of Titus Livius, Duke Univ Press, 1965.
Marx, karl. 자본론, 김수행(역), 비봉출판사, 1993.
------, 철학의 빈곤 : M. 프루동의 '빈곤한 철학'에 대한 응답,

강민철, 김진영(역), 아침, 1988.
Mills, C.W. 화이트 칼라, 강희경(역), 돌베개, 1984.
Poggi, Gianfraco, 근대국가의 발전, 박상섭(역), 1994.
Rostow, W.W. "The take-off into self-sustained Growth," Developing the underdeveloped countries, edited by A.B. Mountjoy, Macmillan, 1971.
Roxborough, Ian. Theories of Underdevelopment, Humanity Press, 1979.
Spero, J.E The Politics of International Economic Relations, 4th.ed st. Martins Press, 1990.
Wallestein, I. 세계체제론, 김광식, 여현덕(역), 학민사, 1985.
------, "세계자본주의체제의 등장과 미래의 붕괴," 세계자본주의 체제와 주변부사회 구성체, 김영철(편역), 인간사랑, 1987.
Weber,M. Politics as a vocation (From Max Weber ; Essays in sociology, Translated, Edited and with an Introduction by H.H Gerth and C.Wright Mills), Routledge & kegan Paul LTD, sixth Impression 1967.
------, 사회경제사, 조기준(역), 1989.
------, 프로테스판티즘의 윤리와 자본주의 정신, 박성수(역), 문예출판사, 1994.
------, 막스베버 선집, 임영일 외 2인(역), 까치, 1991.

동아일보

조선일보

중앙일보

한겨레신문

면 담 : 박성수, 이랜드 그룹 사장, 94.11.22 서면 인터뷰.
사장 후보 연수인, 삼성그룹, 95.2.7 두레마을 연수원.